千万别学英语

〔韩〕郑赞容 著

〔韩〕李贞娇 译

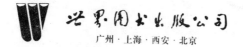

世界图书出版公司

广州·上海·西安·北京

● **完成第二阶段：听读并举　掌握语法**

第二阶段的七个要领

第一，把已经能完全听清的磁带中的第1盘磁带再
　　　找出来。

第二，听写这盘磁带的内容。

第三，做听写练习时，一句一句地听。即：听完一
　　　句后，先按暂停，把刚才听到的写下来，反
　　　复听，直到完全听清这句为止。不会的单词
　　　根据发音大致拼写出来即可。

第四，听写完整盘磁带的所有内容后，用英英词典
　　　确认不会的单词的拼写是否正确（知道其意
　　　当然好，不知道也不要紧）。

第五，按这种方法听写完整盘磁带的内容后，尽量
　　　模仿磁带的发音和语调，从头到尾大声朗读
　　　（不满意的部分要再听一遍磁带重新朗读）。

第六，感觉到所有的句子都已经能朗朗上口以后，
　　　便结束这一阶段。

第七，整个过程中，每个星期要有1天与英语完全
　　　隔绝。

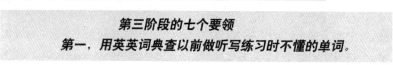

● **突破第三阶段：跃跃欲说　出口成章**

第三阶段的七个要领

第一，用英英词典查以前做听写练习时不懂的单词。

第二，把单词的解释和例句记下来，若这其中还有
　　　 不懂的单词的话，继续查词典。
第三，查词典要坚持查到没有不懂的单词为止。
第四，大约查1个小时后，暂停查词典，并大声朗
　　　 读通过查词典整理出的内容。
第五，朗读约1个小时后结束。
第六，每周要歇1天。
第七，查在原文和单词解释中出现的所有不懂的单
　　　 词，并一直朗读到完全吃透解释和例句为止。

● **征服第四阶段：自我领悟　无典自通**

第四阶段的四个要领
第一，　准备1盘录像带。
第二，　带上耳机，每天看1遍。
第三，　能够完全听清之后，便开始听写、朗读。
第四，　将不清楚的单词，利用英英词典查找并朗读。

● 攀登第五阶段：文化融通　渐入佳境

第五阶段的六个要领

第一，准备1张最近的英文原版报纸（在美国发行的报纸）。

第二，从社会版面挑选一篇短文章（1-2分钟就能念完的），然后大声朗读。必须坚持到完全消化为止，就好像自己成了新闻主持人一样。

第三，当确信自己不看原文也可以记住文章内容时，把它像讲一个故事一样绘声绘色地复述下来。

第四，能够流利地诵读时，再选第二篇文章，重复上面所讲的方法。

第五，看完一个版面后，就像第三阶段那样处理不认识的单词。

第六，把报纸上广告、名人访谈、漫画等所有的内容，都按上述方法加以学习。

序

韩国人曾经和正在承受的来自英语的精神压力，在全世界可以说是最大的。

尤其是经历了IMF（韩国人对"经济危机"的习惯称呼）以后，英语几乎成了人们生活的必备工具，成为跨入21世纪首先要具备的素质。然而现在竟然还有一些人，如果别人对他讲英语，他会说："快别骂我了！"

这到底是为什么呢？

我写这本书正是要回答这个问题。其实，解决方法非常简单。美国和英国人从来没有特意下功夫"攻读"（study）英语，他们只是逐渐"熟练"（learn）英语而已。

但是，大部分韩国人却在特意下功夫"攻读"英语。这正是韩国人为什么学不好英语的症结所在。无论是英语还是母语，都是语言，语言是不需要"攻读"的，需要的是"熟练"。

郑赞容
1999 年 7 月
于龙仁

中文版序

　　反对以英语作为世界通用语言这一主张的，在全世界虽不乏其人，但对于韩国、日本及中国的大多数人来说，即使冠以"世界通用语言"的称号似乎也难以表述英语在现代生活中的重要性。由于能够熟练掌握愈学愈难的英语的人才远远不能满足需要，因此认为出色的英语能力是事业飞黄腾达的根本立足点的人也为数颇多，在一定程度上这也是事实。问题的关键在于学好英语为什么会如此之难。据来中国学习的人讲，中国人好像也是在用与韩、日等国人基本相同的方法来学习英语的，即采用从学字母开始，熟记语法，把单词翻成中文背诵，背诵对话情景范句数十乃至数百句的模式。虽然谁都毫不怀疑地认定只要这样刻苦地学下去就必然能学好英语，而事实上，这种方法却存在着本质上的问题。这是因为它所采用的学习顺序完全违背了人脑熟习语言的机制。人出生后很自然地就学会了说话，幼儿耳濡目染于父母说的话及周围的各种语言表现，从而自然而然地学会了语言。这是因为人脑本来就有这种功能。

也有些人说从语言学角度来看，人的这种能力早在12岁左右就丧失了。果真如此吗？以我个人经验来看，并非如此。我开始学德语，不过6个月就达到了相当高的水准。在我身上体现出的那种把电视内容和人们的谈话自然熟习的能力，应该怎样向人们解释呢？悉数接受了我的诀窍的韩国留学生们，一般少则6个月，多则1年便可以通过原来应修1年半的语言课程的资格考试，对这些现象又该作何解释呢？依我之见，即使成人以后，人脑中固有的自动熟习语言的能力也依然具有活力。虽然这种活力不可能像小孩子那样100%地发挥，但至少有70~80%还可以运作，所以，如果灵活应用幼儿学习母语的方式，在运用现有方法掌握的英语基础上再注入新的生机与活力的话，几乎可以将这种能力提高到与幼儿同样的水平。当然，发音和语调等对成人来说也许比孩子们更困难也未可知。但即便如此，我还是认为谁都可以将英语熟练掌握到让英语国家的人可以充分听懂的程度。

· 3 ·

成年人需要的是，完全摒弃错误的英语学习方式，树立起新的英语学习习惯。包括英语在内的所有语言都并非是学习的对象，而是熟习的对象，当一切都习惯成自然时，我们就可以完全从迄今为止仍然愈学愈难的英语学习中解放出来了。就像人们用母语说话时，熟习的内容自动浮现于脑海中，却并不深究语法一样，英语以及其他外语也可以如此。并且，只要安心照我的方法去做就一定可以实现，要费多长时间或者最终可以达到怎样的水平因人而异，但至少英语的听、说、读方面不会有太大的困难了。

　　最后，真切地希望在英语的造诣方面，中国人也能达到如上所述之境界。并在此向为此书中文版的出版发行不计私利全身心投入的李贞娇教授，以及广东世界图书出版公司的有关职员，致以最诚挚的谢意。

　　　　　　　　　　　　　　　　　　郑赞容
　　　　　　　　　　　　　　　　　2001年1月6日
　　　　　　　　　　　　　　　　　　于汉城

译 者 序

　　我虽然是一名中文研究学者，但从成为一名中文系大学生的那一天起，就和英语结下了不解之缘，这是与我个人坎坷不平的人生经历密切相关的。

　　我小时候家里有10口人之多，生活十分艰难。因为家庭贫困，每当我即将升入高一级的学校时总会遇到很多困难。养家糊口本来就挺困难了，更何况还要供给六名子女接受高等教育，父母的力不从心我是知道的。所以从很早起我就一直梦想经济上的独立，父母亲希望我高中毕业后当一名银行职员，我却难以割舍儿提时代就有的教授情结，那时我是这样想的：

　　"我还年轻，我的人生才刚刚起步，不能这么早就放弃我的理想！"

　　我向父母许诺，高中毕业后一切问题都将独立解决——直到现在我还信守着这一诺言。至今仍难以忘怀的那一段鲜明记忆，依然时不时触痛我的心。当我半工半读终于通过了大学的入学考试时，却没有接到任何的祝贺。那时我哥哥猝

·5·

千万别学英语

然横遭交通事故，使得全家都顾不上理会我被大学录取这件事。大学的注册费该交了，我却无力缴纳，几乎到了不得不放弃的境地。我满怀着对上大学的渴望，如疯如痴，漫无目的地在大街上游来荡去。我当时就想，一失足成千古恨，如果错过这次机会我将抱憾终生，无论如何我也一定要进入自己梦想中的"象牙塔"。我简直无法想象不上大学的话自己会成什么样子。我那时内心的坚决是难以用语言来描述的。最终，我受一位高中同学母亲的帮助，在注册截止前5分钟交清了学费，从而开始了我全然一新的生活。我下定决心，绝不能碌碌无为地虚度此生。

我从小就对汉字有着较为浓厚的兴趣，隐隐约约地觉着学习世界上四分之一的人口使用的中文会别有一番意趣，于是便选择了中文系。但世界并非我想象的那般如意。上大学时，虽然可以用奖学金来缴纳学费，但学费以外的其它花销就得靠外出打工来筹集了。当时我为了准备研究生入学考试而不得不刻苦地学习英文，并以此为契机当上了英语补习班的老师。白天学中文，晚上教英语的生活就这样开始了。此后，一直到我修完博士课程的十年间，我一直依靠教授英语来维持生活。这样一来，我就同世界上最重要的两大语言——中文和英文——结下了不解之缘。我在补习班里主要教授语法、精读以及词根分析，学生们在学校的英语考试中取得了好成绩，我也就自然成了颇受欢迎的老师。但当我看到学生的会话能力并没有提高，甚至连面对外国人都不敢的时候，我陷入了深深的苦恼之中。但是在1999年10月16日，我在釜山国际电影节上看到了一部介绍一位年轻有为的中国英语教师的纪录片，激动得在接下来的近一周的时间里兴奋异常。

这位年轻的中国教师叫李阳。我这样感动，并非因为他与众不同的学习方法，而是他那体现于英语学习中的挑战国家乃至整个世界的雄心和勇气，给我以强烈的震撼和冲击。从那以后，我每到一个地方授课，都要讲李阳的理想，介绍他的"三最法"（最清晰、最大声、最快速），并打算以我的学生为对象，在中、英文教学中试验这一方法。并且还下决心到中国去的时候，一定要见他，亲耳听他的讲演。

《千万别学英语》一书，1999年7月第一版一问世即获世人瞩目。但我直到那年秋天却还没看到过《千万别学英语》这本书。韩国作为全民对英语学习极度热心的国家，书店里摆着那么多的书，而站在读者立场上却难以抉择到底该选哪一本好，这实在是一大悲哀。为吸引读者的目光，仅仅用各种浮华的广告或标新立异的书名，已不再能引起更多读者的注目。一天，我因提前赴约，尚有半小时左右的时间，就顺便进书店逛了逛，偶然看到《千万别学英语》这个书名，禁不住笑了。以为又不知是谁为追求商业轰动效应，起了这么个稀奇古怪的名字，就随便翻了翻书的内容。一开始，作为英语书却没有英语例文，而仅仅有学习方法的介绍，这使我大吃一惊，同时也给了我某种不同寻常的感觉。于是半信半疑地买了这本书，和朋友匆匆忙忙地分了手。回到家里，我一口气把全书看完之后，又仔仔细细地读了一遍，同时针

对书中介绍的诀窍作了笔记。

对于有10年外语教学经验的我来说，既然是好的方法，仅仅自己独自体会一下就过去了的话，实在是太可惜了。所以从那天起，我就成了《千万别学英语》的"宣传大使"。以我的经验来看，作者提倡使用这一方法的见解绝非欺人之谈，意识到这一点，我很是高兴。那时的我对作者几乎是一无所知，不过在电视上播放介绍英语学习方法的节目时略扫过两眼而已。我意识到这一方法不仅适用于英语学习，也适用于学习其他的外语，因此决心以此方法为基础，开发我专门从事的汉语学习方法。于是，2000年8月赴北京之际，不顾行李的沉重，我仍带上了《千万别学英语》和它的姊妹篇《你还在学英语吗？》。

也许是命运特意的安排，很偶然地在北京大学的新华书店里看《疯狂英语》海报的时候，我碰到了《疯狂英语》北京分部职员周光耀，于是有机会去《疯狂英语》的培训班听了两遍全培训课程。在他们所教授的内容中，"手势突破发音关"激起了我特别浓厚的兴趣。可是，问题在于李阳的书和辅助工具价钱太贵、学费也很高，并不是任何人都能承受得起这一笔不算小的费用，对此，我感到很可惜。

中国人同韩国人一样，接受的也是以单词、语法、阅读理解为主的传统英语教育；理解力固然可以达到相当程度，听、说能力却普遍很差。了解到这一点，我便向《疯狂英语》的听课者介绍了《千万别学英语》的方法，以听听他们的反应，结果，得到了大家的广泛认可。后来，我进入北大的课堂，发现许多学生，较之集中注意力上课听讲，更热衷于英语学习，于是我以周围的学生为中心，给他们读了《千万别学英语》学习方法的译本摘要，结果反响非常好，我也因此获得了勇气与信心。于是急急忙忙地把译本摘要贴到北京大学各个复印室，静观其反应。最后又给北大外国语学院的王丹教授读了这本书，并征求她的意见，问这本书是否可以引起中国读者的兴趣。王丹教授欣然回答说，与她自己学习英语的方法相比较来看，这本书的方法的确很好，应该是可以充分调动中国读者的兴趣的。这使我信心倍增，毅然下决心将《千万别学英语》翻译成中文，向中国人介绍这种方法，并在 2000 年 10 月 26 日通过国际长途电话联系到了出版本书的韩国社会评论出版社，表达了我的想法。我很顺利地获得了本书的中文翻译许可权，于是开始选择出版社。

我从已知的部分知名出版社，老师、同学们推荐的出版社，还有我自己在书店翻阅与英语有关的书籍而了解到的出版社中，综合各方面因素考虑，反复推敲，选择了 10 多个出版社作为首先推介《千万别学英语》的候选对象。最初，一名韩国年轻女子带来的韩国出版的英语学习方法书并没有引起出版社老总们特别的兴趣。但后来我对于中国现状的理解，以及针对中国英语教学问题的看法使我博得了他们的信任，他们渐渐开始倾听我所说的话，出版社方面也开始纷纷地对《千万别学英语》中文版的出版发行产生了浓厚兴趣。

当时，按我的想法，这本书内容好是好，但万一遇到营销业绩不佳的出版社，《千万别学英语》的普及也将遇到很

大的麻烦，基于这样的想法，就给发行《李阳·克立兹疯狂英语》的广东世界图书出版公司打电话介绍这本书，他们对这本书的兴趣非比寻常。12月13日，陈岩总经理亲自飞来北京，与我进行了大约5个小时的长谈，之后决定12月22日签订出版合同。《千万别学英语》在中国的出版计划终于完成了。

我来到中国，手头上做着这件事情，心里却总放不下，我本是中文学者，理应埋头于学术研究之中，现在做着专业之外的工作不说，而且还没有一点成功的保障，弄不好所做这事就是白白浪费时间。这些事情常常搞得我很苦恼。但当我看了本书作者最近出版的第三卷《奶酪与韩式酱汤》之后，又重新鼓起了勇气。我对作者所知甚少，仅仅因为《千万别学英语》是较好的英语学习方法，所以才想把它介绍给中国人；但读了作者这本新书后，作者正确的价值观和对生活真诚的态度使我肃然起敬，从而觉得翻译《千万别学英语》不能仅仅单纯地介绍英语学习方法，对作者的独到的思想和见解也应该努力予以体现。这种判断大大减轻了我工作的劳苦。最令人高兴的是，在这本书的中文版出版以前，它已经得到了中国人的广泛关注。

我的专业是中国现代文学，特别是我的研究对象瞿秋白给予我的人生以莫大的影响。而对于瞿秋白非比寻常的崇敬也使我爱上了中国。瞿秋白是位在我这样的年纪已经为中国献出了生命的伟人，把《千万别学英语》翻译介绍给他曾经如此挚爱的中国，是我一生中无上的光荣。

　　我真诚地希望，瞿秋白所挚爱的并甘愿为之献出生命的中国能在 21 世纪掌握英语，成为领导世界的主要力量。

　　生至今日，感到欠情最多的，就是现在住在韩国的亲爱的母亲李粉伊和 1993 年 6 月间匆匆离世的父亲李元教；恪守本分生活着的我的五位血亲兄弟姐妹 还有那位使我能取得今天的成就、为我交上注册费的同学的母亲: 希望他们共同分享我今日的光荣。

　　《千万别学英语》的出版得到了许多人的帮助，在此谨向北京大学的王丹教授，北京外国语大学的金京善教授，China 21 的姜贞淑女士，北京大学的黄亮新、杨明、李安钢、王晴、岳蕊，法律顾问林薰基博士，以及不断给予我激励的著者郑赞容博士，韩国东亚大学的申洪哲教授，我的室友大岛光加,广东世界图书出版有限公司的有关人士等致以我深深的感谢，并真心希望有朝一日我可以报答他们对我的鼓励和帮助。

李贞娇

2001 年 1 月 5 日

于北京大学勺园

前　言

现在似有很多人在求助于英语培训班。如果转遍全国的培训班，你一定会为竟有那么多人在"攻读"英语而感到惊讶，一副不分男女老少都在"学"的情景。

书店的外语类图书柜台上陈列着数十种英语教材，什么《TOEIC速成》、《TOEFL考试最佳捷径》等等（注：TOEIC——Test of English for International Communication,中国人把它译作"托业"，它是一种国际交流英语能力测试，世界各地通行的外企招聘雇员必考的英语考试。包括"听力"和"阅读"两大部分，200道题，总分990分，考试时间 120分钟），从有关留学方面的书籍到日常会话用书，真是无所不包。可以看出，英语书籍的确是颇受欢迎。

但是，要找一位英语很棒的人，并不是件容易的事。尽管各公司的招聘广告中，频频出现"会外语者优先"的字样，但英语水平很高的人却并不多见。偶尔也有TOEIC分数达到优秀的人，但和他们用英语直接交谈时，他们的韩式英语往往让人非常失望。其实，很多人已知道TOEIC分数与英语的实际水平并没有直接关系。那么，为什么韩国人那么用心地学英语，却还是学不好英语呢？是因为没有坚持完成学业，还是因为培训班的教学课程不好？如果这也不是那也不是的话，会不会是韩国人的口腔构造根本就不适合说英语呢？很显然，回答是否定的。

因为，如果果真如此，那么学好英语本身就应该是一件很稀奇的事，而且，如果有谁能说好英语，就会马上成为特大新闻；那个人就会成为各媒体竞相追逐的宠儿，或被邀请做英语教材、英语培训班的广告模特或英语教师，从而成为焦点人物，甚至有可能被特聘为青瓦台（韩国总统府）的翻译官。

很多人都无法坚持上完培训课程，这是不争的事实。一般头几天学生最多，到月末就只剩下不到1/4的学员了。这也可能是学不好英语的一个原因。但能说这些话的人还都是想要坚持上完整个课程的实学派。可是据他们说，那样还是提高不了英语水平，而且一旦不去上课，就会马上忘掉，这不能不让人觉得有些奇怪。

那么，是不是语言教材有什么问题？听人说教材都是由美国某大学语言学博士或长期在美国生活的人编写的，不至于有什么问题吧。虽然也有个别根本不像样的书，但对大部分书而言，只要仔细阅读，我们就会发现作者的确倾注了很多心血。

所以，韩国人有必要认真思考一下英语学习的特点。众所周知，正规学校为韩国人提供的外语教育，大部分都是从

读写开始的。所以，熟练掌握语法的人是非常多的。尤其是与成绩特别优秀的学生接触时，你会对他们庞大的词汇量感到非常惊讶。甚至连特别专业的词汇，例如钓鱼竿各部分的名称、各种 UN 机构的缩略语他们也能倒背如流。但就是这些人也说不好英语。更准确地说，他们听和说的能力并不怎么样。

在自己能组织"TIME"或"NEWS WEEK"讲读班并以此为荣的那些人当中，这样的人也不少。这也许是很自然的事情。因为美国人从来不以那些杂志所用的方式说话。

韩国人的又一个特点是国粹主义式地对外语持保守的排斥态度。如果有谁偶尔说一句接近美式发音的英语，就会立即招来各种嘲笑。什么"起鸡皮疙瘩了"、"倒胃口呀"等等的冷嘲热讽的话，甚至说什么"早上是不是吃黄油了？""舌头没毛病吧？"等等。

· 14 ·

这些人通常这样诡辩："其实，生活中也没几次需要说英语的。即使在外国到了不得已的时候，用手脚比划也能应付过去，如果必须得用英语沟通的话，找翻译不就得了嘛！"

真是这样吗？韩国人接触英语的机会真的那么少吗？单单学生时代就要为英语考试担心 6 年，而且，以后还是离不开英语，又怎能下此定论呢？

有些人说，发音有那么重要吗，只要说得差不多，内容充实，别人就能听懂。这样说的人还算是下过一番功夫的。但，这两种主张的结果是一样的。由于发音错误，所表达的意思完全不同的情况比比皆是，要听懂就完全要靠听者的耐心了。

　　归根结底，韩国人在学英语的方法上存在根本性的问题。主要是过于偏重语法或阅读方面。所以，要学好英语应该先着手解决这个问题。因此，首先要强调"打通耳朵关"。

　　也许出于这种原因，大部分英语教材都配有录音带，而且大部分的人都边听边学。这些录音带的内容大致是这样的：就是先设定一个情景，再把在这种情景下最经常说的话编入；然后是重复这些对话或将对话内容稍加改动后加以练习，也就是要人们将各种情景下的标准对话内容背诵下来。

　　只要知道生活片段是多种多样的这一简单道理，谁都会认识到这种学习方法的局限性。因为要把全部生活都编在教材中是不可能的。而且，在各种情况发生时，人们也不会像教材中出现的人物那样都用标准对话交谈。如果那样的话，生活就毫无情趣可言了。

　　那些用流行歌曲或干脆通过在英语单词下面标注韩国语等方法学英语的教材，根本没有谈论的价值。严格地说，这是一种欺骗行为。因为流行歌曲是诗歌化的语言，与日常用语必然会有很大的出入。而用韩国语标注英语发音就好比是与真人大小的明星画像接吻一样，跟与真人接吻的感觉自然是不同的。

　　重要的是，按上述教材的方式根本无法学好英语。那些学校或培训班的优秀教师所教的方法也是一样。韩国大部分的培训班以及其在读或已毕业的学员，都可以证明这一事实。

　　我是英语TOEIC 1级，而德语几乎是第二母语。其过程很

简单，我只是放弃了韩国通用的那种外语学习方法。

　　总而言之，无论是英语、日语还是德语，所有的语言都不是"学习"的对象。也就是说，千万不要硬学硬背，语言是一种习惯。

　　通过这本书，我想把养成习惯的方法告诉各位读者。只要你按照这个方法坚持到底，无论是哪国语言，都能达到第二母语的水平。不仅不需要到那个国家生活，而且少则6个月，多则1年就足够了，TOEIC或TOEFL等等则更没问题了。

跟所有传统的英语
学习方法说 BYE-BYE

从 "爸爸好" 开始

黄昏时分，K 来了。

也许是因为跟她只是数面之交，也许是我的表情有点怪，她红着脸羞涩地对我说："怎样才能学好英语呢？"

· 3 ·

大概是她看到前不久我参加了一次全都是美国人参加的会议，所以认为我的英语非常棒吧。

"你的水平如何？"

"水平呀，说不上什么水平。也像别人一样上过几个培训班，但还是不行。可我的工作需要会英语。我有时候真着急，但又没条件参加公司的讲座或培训班……"

"我知道一些学外语的诀窍，教你几招怎么样？"

我首先跟她说明了这个诀窍的原理。

"学外语也应该用学母语的方法。好好想一下小孩学说话的过程。你看见过哪个小孩出生后，父母就一个一个地教他字母，告诉他哪个是主语、哪个是动词、形容词、副词吗？父母不管孩子听不听得懂只是在不停地说：'咦，我的小宝贝，真漂亮。饿了吧，喝奶吧！咦，尿尿了，尿这么多呀。尿布都湿透喽。'从父母的口中，从电视里，从街头，这样那样的话都会传入小孩的耳中。孩子到了一两岁时突然会说话了，连父母都觉得很惊讶。'亲爱的，这孩子今天管我叫妈妈了。'"

从此孩子的单词量将一发不可收地多起来。"妈妈好漂亮"，"爸爸好"，"我想奶奶了"等等。有时候还会把爸爸叫成"亲爱的"，让人捧腹大笑。

不管怎样，孩子开始说话的一大特点就是说的都是他经常能听到的话。小孩最早会说的话都是"妈妈"或与之相近的词，然后是与吃有关的词。"亲爱的"也是如此，也许小孩认为那就是妈妈爸爸的名字呢。

"那就是说，只要多听听就行了吗？"

　　"那倒不是，因为我们不是小孩，小孩的大脑说白了就像一张白纸，可容性很大。但成人的大脑几乎已经达到了饱和状态，已被各种所见所闻装得满满的了。不是有很多这样的人吗，跟他说了好几次的事，他一会儿就忘了。就拿学电脑的事儿来说吧，无论是 DOS 还是 Word，小孩马上就能学会，而且以后靠自学就能完成全部的电脑课程。而大人呢，即使是很简单的问题，反复练了几天几夜，还是要问别人。这是为什么呢？电脑可真是太难学了，大人总这么想，所以就没有接收新知识的余地了。大人总是不知不觉地将接收到的各种信息分析整理后，分门别类地储存在大脑里已形成的知识框架中。大人不像小孩那样"啊……，这个是这个，那个是那个……"，他们总是刨根问底地弄清所有的来龙去脉后，才能踏踏实实地接受其内容。

　　"啊，就是说，他们先弄清单词是什么意思，句型又是什么，再从整体上把握句义，最后才去接受它，对吧？过去教

英语用的也是这样的方法吧？"

"如果只是单纯地为了能读、能理解英语的话，虽不能算太大的错误，但终究还是错误的方法……"

"什么？终究是一种错误的方法？就是说，不用这样做，也能学好英语，是吗？"

"是啊，我们在学校所学的方式，其实是很不经济、很奇怪的方式。大多数人在分析理解英语文章时，一般来讲是怎么做的呢？首先查生词，然后把主语、谓语、宾语区分开，再译成韩语，如果意思通顺了就看另一篇文章。但我们平常读韩语文章时，也是这么做的吗？当然不是。如有不清楚的词汇，只是再细读一遍，就算过去了。读英文是不是也应该这样呢？其实韩国人对待本国语言和以英语为母语的人对待英语应该是一样的。"

"不用查词典，也不用知道语法什么的，能理解是什么意思就可以了，对吧！"

"嗯，你的理解能力还不错。这就是我所说的诀窍的主要内容。只要领悟到这一点，就能悟出自己学习的窍门。尽管最终那将与我的方法完全一样。"

"啊，我知道是什么意思了。但我实在没时间，我是说没时间去独自悟出窍门。您就直接教我不行吗？"

"呵呵，那可不行。至今我已免费教了许多人，可能是因为免费吧，没有几个坚持到最后的。说什么这方法的确很好，但觉得不太适合自己等等。所以，我规定了一个原则，不能免费教。"

"那有几个成功的呢？"

"我已教过大约有60来名，但其中成功的只有3个人。这大概就是因为免费吧，反正也没花钱，不照我的方法学，也不觉得是浪费钱！"

"知道了，您要收多少钱呢？需要多少投资？"

"嗯，今天已经很晚了，下次再聊吧！好吗？OK？"

还不如干脆不懂英语

"您好！"

几天以后，K又来找我。当然她没有空手来。

我们自然而然地谈到了学英语的诀窍。

"我仔细想过了，但怎么也想不明白。总觉得大脑已经处于饱和状态的大人们，不可能像小孩那样，只靠听来学英语。读英语文章像读母语那样，能不查词典地读下去，这实在是太离奇了。"

"所以才叫诀窍嘛！如果谁都知道，那还能叫诀窍吗？这就好比哥伦布的鸡蛋。思想的转换，首先需要的就是这个。要抛开'学'英语的想法。有一次，我在一家企业的研修院见到一名韩国女士，她的英语相当棒。不仅发音是完全的美式发音，写文章也很不错。所以，一开始我以为她肯定是哪个一流大学英语系出身或者是美籍侨胞的后代。但是，后来知道事实并非如此。她只不过高中毕业，而且由于那所高中是商业高中，所以从来没有系统地学习过英语。但她的英语却是那么棒，是不是很稀奇呀？

她只是与工作中认识的美国人相爱并结了婚而已。结婚不久，丈夫由于工作需要去了欧洲，这位女士只好只身去了在美国的公婆家。到了美国才知道，那里只有婆婆一个人生活在一座很大的房子里。一开始，因为不会说英语，也没有可以说话的人，所以有很长时间她一整天也说不上一句话。有一天，婆婆给她钱让她去一趟市场。她有点惊慌地看了看婆婆，但她的婆婆微笑着坚持让她去试一试，她只好去了。那一次，她去超市勉强把东西买了回来。从那以后，渐渐有了信心。反正试一试呗！从那天起，她不管听得懂听不懂都和婆婆一起看电视，觉得闷了就出去散散步，听到什么就学什么。

"只要是美国人说的话，她就都认认真真地听，无论什么字都用心地看。有一天，奇迹终于发生了。她突然觉得能流利地说话了，有事没事地总想说话，脑子里还没反应过来，就能说出来了。"

"那就是说，还不如干脆不懂英语，是吗？"

"也可以这么说。一点都不懂英语比起习惯韩国老师教的那种古怪的语调和发音来，恐怕还要好得多。"

"那么，到现在为止我们在学校所学的英语，不是白学了吗。"

"那也差不多。当然发音是一个问题，但是，更大的问题是在学校所学的单词的意思有误，就拿我们查生词来说吧，不是用英韩词典查完再背吗？但英韩词典是借助日韩词典，把原来的英日词典翻译过来的。就是说，经过了二重翻译。目前几家出版社出版的词典也都大致一样。所以不论是不是重

译的，问题在于它是把英语的英语解释再翻译成了韩语。"

"这个怎么还会成问题呢？只要认真、正确地翻译，不就能解决问题了吗？"

"问题首先在于，有些词汇只在以英语为母语的国家中存在，而在韩国语中根本不存在。民族不同，文化不同，历史也不同，所以这是很自然的现象。那么，此类单词就只能用和它接近的韩国语来代替，在这个过程中意思就可能被歪曲。另一个问题是语言之间的微妙差异。韩语中不是也有阴阳性的差异嘛？所以，把英语再翻译成其他国家的语言，必然不能完美地表达语言之间的微妙差异。英文中friend的解释为"朋友"，但有时候也可以解作"男/女朋友"的意思。更为关键的问题在于出一本英韩词典所要花费的时间。没有什么比语言对时代的变化更加敏感的了。所以说，如果编一本英韩词典需要至少1年的时间，用这本词典所学的英语就等于是已经落后了1年的英语。人们也许认为这没什么大不了。正是由于人们持有这种想法，所以，韩国英韩词典的水平才得不到提高。甚至还有距第一版已有10年之久的词典。而且很多人把这种词典传给兄弟姐妹，甚至世世代代传阅，不是吗？节省固然好，但对于英语学习来说，这绝对是不可取的。

"而且，绝大多数的英韩词典，存在很多编辑方面的问题。譬如，把事实上美国人几乎不用的意思，还当作重要内容编在最前面，而且把字体加黑加粗以引起人们注意。"

"啊，千万别学英语，原来是这个意思，是吗？"

"不是，不是那么回事……，唉，怎么跟你说才好呢？"

Warm up（准备活动）

　　如果告诉那些已学了10多年英语的人说，英语是不需要学的，他们自然不能理解。无论我怎样以各种理由试图说明我的主张是对的，他们都只是当时点点头而已。

　　其实这也是可以理解的。从初中开始正式学英语，就是除了背单词还是背单词。从字母表到基础、中级、高级语法，还有不计其数的单词，需要背的东西真是无穷无尽。

　　还有人说，学英语是笑着进去，哭着出来，反正只是强调英语是多么多么地难学。从头到尾地背诵英语词典，把背完的书页撕下来吃到肚子里的这种愚蠢的方法，竟也像什么学英语的妙法一样广为流传。

　　仔细想一下便知道人的记忆力是有限的。无论当时背得多好，随着时间的推移，能记住的词汇只能越来越少，而且随着岁月的流失将全部忘掉。所以说，死记硬背地学英语不是什么好方法这句话是很有道理的。

　　"是啊，学生时代那么专心致志地背过的诗词，现在已经几乎忘得一干二净了。那还是用韩语写的呢……"

　　"但如果那是自己写的诗，又会怎样呢？那当然就能记住大部分内容了。因为出版该诗集的前后你会无数次反复地诵读。道理就在于此。也就是说，说外语要成为习惯，这就是所谓的习惯成自然吧。"

　　"习惯成自然，就好比跳舞时动作潇洒流畅，作画时画笔挥洒自如吧？"

　　"对，就是这个意思。很熟练的话，手脚就会自然地做它们应该做的动作，像学自行车或游泳一样都是需要亲身体会

的。所以，隔很长时间，也照样不会忘。对英语而言，习惯
成自然主要就是舌头的问题。说话时，如果舌头的反应比大
脑更快，就说明已经形成习惯了。我们说韩国语不也是这样
吗？有时候也不知道自己在说什么，嘴里却在嘀咕。"

　　"现在，我明白您说的是什么意思了。那么，请您教教我
这个方法吧。"

　　"好啊。但是有两个条件。第一，不要怀疑；第二，一个
阶段还没有完成时，绝不要开始下一阶段。"

第一，不要怀疑！
第二，一个阶段还
没有完成时，绝不
要开始下一阶段！

· 13 ·

"啊哈，那就是说，需要经过好几个阶段，是吧？我知道了。那么，一共分几个阶段呢？"

"共有五个阶段，完成第一个阶段就能熟悉英语发音，完成第二个阶段就能领悟语法，克服了第三个阶段就想说英语了，达到第四个阶段就能够不查词典也可以理解文章的意义了，完成第五个阶段后连那个国家的文化也能理解了。就是说，达到高级水平了。"

"哇，那该多好啊。但要达到那种水平，需要多长时间呢？

· 14 ·

"那是因人而异的。当然也根据学英语所花时间的程度，多少有点差异。但更重要的是对语言的感觉和素质的差别。听说过吧？能说好母语的人，外语也能学好。"

"不会吧，那是为什么呢？"

"能说好母语的人，天生就对语言具有比别人更敏锐的感觉。他们掌握语言的能力是与众不同的，他们从不放过那些别人注意不到的词汇，从书籍、电视或收音机中收集后把它们变为己有。虽然也有特意这样做的人，但这种过程大部分是很自然的行为。"

"这样做和没这样做的人，在掌握英语的程度上有很大差别，是吧？"

"是的，但如果按照我的诀窍学习，长的话有 6 个月的差距，最迟的话 1 年后也相差无几了。当然，在适当的场合使用恰当的词汇的能力，跟说母语时一样，也是有差距的。不管怎么说，至少需要 6 个月，最多则 1 年的时间。在这么短的时间内掌握一门外语，是不是很了不起？"

"那当然。算一下到现在学英语也有 10 多年了，而现在能在几个月内完成，还能达到高级水平，说得像母语那样熟练，多了不起呀，真是令人难以置信。"

"我在德国留学期间，曾把这个方法传授给了几名韩国人。在德国有相当多的韩国学生，根本没法学专业课，问题就在于过不了语言关。其中只有两名学生按照我教的方法学习德语，6 个月后，他们终于通过了语言课程的资格考试。当时，韩国留学生完成语言课程一般需要 1 年半的时间，所以，

这件事在留学生中也成了一件具有'划时代意义'的事件。"

"那么，其余的人为什么没采用这个方法呢？"

"是啊，据我观察，缺乏恒心是第一个原因。第二个原因是缺乏信心，也就是不相信我的话。但对大多数人而言，最重要的还是缺乏恒心。"

"那就是说，学会您的诀窍，需要很大的恒心，是吧？"

"嗯，总而言之这是个需要恒心的方法。但并不是说，由于需要恒心就要求有特别强的恒心，因为过不了多久就会感觉有意思了。"

"是不是诸如成就感等等？"

"和那种感觉稍微有点区别。当然也有成就感。怎么说呢，这应该是由于发生在自己身上的现象吧。"

"现象，能发生什么现象？"

"嗯，例如，在第一阶段发生的现象，就是突然有一天在磁带中听到了熟悉的单词，但好像以前从来没有听到过。再后来呢，有一天突然能够听到完整的一句话了，从此以后，越来越感兴趣了。"

"一定很有意思，快教教我吧，我真想知道在我身上会有什么现象发生。"

"那么，现在我们就开始？"

开始第一阶段：
"打通"耳朵 完全听清

第一阶段的四个要领

第一，选择 1 盘（再次强调是 1 盘而非 1 套）适合自身英语水平的磁带。

第二，每天集中精力把 A 面和 B 面连续听两遍。

第三，要坚持天天听，但每隔 6 天要休息 1 天。

第四，直到听清磁带中的所有内容。

只1个月就可将TOEIC 成绩提高200分

第一阶段的四个要领

第一， 选择1盘（再次强调是1盘而非1套）适合自身英语水平的磁带。

第二， 每天集中精力把A面和B面连续听两遍。

第三， 要坚持天天听，但每隔6天要休息1天。

第四， 直到听清磁带中的所有内容。

"这就是第一阶段的全部内容吗？"

"对，很简单吧？这恐怕就足以让你的TOEIC成绩提高100分。"

"真的吗？那为什么要休息一天呢？"

　　"这是由于人的大脑中有能够存储语言的特殊机制。据我在德国时看过的医学报告所述，人的大脑在接收语言信息时，要经历一个特殊的过程。首先，将接收的词汇信息随意堆积，直到停止接收后，才开始分析、整理，最后再进行合理分类。当接收的信息量达到一定程度时，就会形成该语言的专有空间。如果信息连续不断地涌入，大脑就来不及把它们分门别类，更无法进行正常的系统化整理。所以需要休息一天。这就像搬家以后需要整理一样。"

　　"您的意思是说，在大脑的某一部位，会形成外语的专有空间，是吧？"

　　"对了，那个医学报告书上也有这句话。原来，人在刚刚出生时，整个大脑是软软的，掌管语言的部位也分为好几个空间。可到了一定的年龄，这些空间就会被母语全部占据。这也就是年龄越大越难掌握外语，而岁数越小越容易掌握且能同时掌握好几种外语的原因。"

☆ 什么叫"完全听清为止"？

"好神奇哟，把一盘磁带完全听清为止，这到底是什么意思呢？是指背诵吗？"

"噢，NO，千万别跟背诵联系在一起。'完全听清'指的是这样一种情况：即有一天，当你打开录音机再听那盘磁带时，没等磁带转到那儿，脑海里就已经浮现出后面的内容，而且要具体到句子、单词甚至发音，一项也不能缺。当然难免会有生词，可虽说拼写比较生疏，但发音却已经非常熟悉了。还有，别怪我唠叨，遇到生词，千万别查词典。尽管觉得只要查一下某个单词，就能大概清楚是什么意思了，但千万别那样做。这样做就会前功尽弃，好不容易形成的分类体系，瞬间就可能泡汤。"

"所以要每天利用大约2小时的时间，从头到尾听一盘磁带，而且要坚持到磁带内容完全'烙入'大脑为止。只是每周必须休息一天，对吧？"

"对了，休息那天要完全忘记英语。哪怕是跟朋友在一起玩时也要注意，千万不要跟说话时总冒出几句英语的朋友在一起。租录像带也要选择国产片。再有，就是别去像梨泰院（位于汉城，是外国人居住和活动较为集中的地方）那样的地方。要过一天完全韩式的生活。"

"但是，听磁带时，听着听着就困了怎么办？我想我肯定会犯困的……"

　　"那也总比不听强吧。但不管怎么说犯困肯定会影响效果，必须竖起耳朵听才行。这个阶段是锻炼听力的阶段。咱们国家的人对于英语的发音相对比较迟钝。再加上英语中有韩国语里根本不存在的发音，所以只能靠锻炼。[f]音或者[v]音就是典型的例子。如果对这些发音不熟悉的话，听由几个音节组成的单词或句子自然就会很吃力。如果连听都听不清楚，那就更谈不上模仿着说了。外语发音好，指的就是能够很好地模仿以相应外语作为母语的人的发音。如果咱们国家的人从一开始就跟美国人学英语，学到的自然就是卷舌音。那么，发卷舌音的人也就不会被人讥讽了。"

　　"啊哈，这么说，听磁带的时候，还要注意听发音是吗？"

　　"对，如果能那样当然更好。但一开始的时候，可能有一些困难。因为你会总惦记着听懂它是什么意思。一开始保持什么也不想，听到多少算多少的心态可能是不太容易的，但还是要尽量努力做到这一点。到了一定的程度，就会习惯成自然了，离成功也就不远了。"

"明白了。我一定会尽力试试的。"

"好，好好努力吧。另外，要坚信照此方法坚持下去就一定能成功。千万要牢记这两点。"

"哦，对了。请您再告诉我选什么样的磁带比较好。"

"什么样的磁带都可以。TOEIC的练习磁带或者会话磁带都可以。重要的是内容中不能掺有韩国语。还有就是要选择适合自己英语水平的磁带。在这一阶段选择比自己的水平稍微低一点的较为合适。这样才能加快进度，且能很快提起兴致。听TOEIC磁带的时候，不能只听练习题，其他的英文语句也要注意听。也就是说，连题意说明部分也不要放过。"

"我来好好想一想。您的意思是说，先买一套英语磁带，

然后一直听到耳熟能详为止吗？"

"不，不是一套磁带，而是一盘磁带。"

"那么，听熟一盘磁带以后，就可以开始下一个阶段了，是吗？"

"有必要的话，也可以增加一到两盘，但再多就没必要了。"

"既然您这么说，那我就相信您了。我正担心买一套磁带很贵呢。如果这办法管用的话，不是至少省了100万（韩元。1元人民币约合140韩元）吗？"

"那还只是考虑了初始阶段的投资。如果再算上追加投资，例如上培训班等花费的话，怎么也能节省两、三倍的费用了。"

"哈，真是听着都开心哪。那我明天就开始。好了，我该回去了。"

"成功了别忘了回来看我，好好努力吧！"

牢记诀窍之一

1. 选择1盘适合自己水平的磁带

　　关键在于准确判断自己的英语水平。大部分人通常都低估自己在英语方面的能力，而且不知道去具体地辨析地思考

· 25 ·

自己在哪一方面具有优势或劣势。

人们普遍认为韩国人在语法方面具有较强的优势，但这种说法也已经过时，并不完全适用于当今的年轻一代。看等级考试的分数分布情况就可以知道，年轻一代的个体差别是很大的。

● 选择磁带的方法之一：根据自己的水平选择难度适当的磁带

判断英语水平的方法非常简单。只需看你的听力水平。你虽然能流畅地阅读英文报纸或杂志，但遇到美国人却几乎听不懂对方所说的话，如果是这样，就应该选择初级水平的磁带。如果听得懂日常会话，则应该选择中级水平的磁带。

● 选择磁带的方法之二：最好选美国语言学博士开发的磁带

关键在于选择什么样的磁带。最好是选择美国语言学博士研究开发的磁带。因为既然是英语，他们才是专家。千万别轻信那些说什么"适合韩国人的英语"、"为韩国人编写的英语教材"等等。

我认为这句话本身就自相矛盾，实在无法令人相信。"适合韩国人，为韩国人编写的英语教材"，究竟会有什么用场，我实在是百思不得其解。流行歌曲（popsong）英语、电视剧

(drama)英语等等，还不如趁早放弃。因为这些都不适合初学者，连日常用语都不懂的人，学那些英语究竟能有什么用。

● 选择磁带的方法之三：选择与自己学英语目的最接近的磁带

最好是选择与本人学英语目的最接近的磁带。为进行商务洽谈而学英语的人，应该选择"Business English（商务英语）"，为日常会话学英语的人，应该选择"Conversation（会话英语）"。如果你是为了听讲或留学而学英语，当然最好选择"TOEFL（托福）"磁带了。

若要提高 TOEIC 成绩，TOEIC 磁带当然是最佳选择，但也不是长久之计，因为其水平太低。

·27·

2. 每天一口气听两遍

关键在于"一口气"三个字，不能断断续续，也不能只着重听其中一面。

也就是说，至少要在1个半小时之内，不管是否理解，耐心地一口气听两遍。

记得有一次报纸上刊登了一个出身于平凡家庭的神童的故事。这位神童的母亲有一种特殊的育儿方法。她说，孩子

的父亲由于太忙，根本没有时间和她说话。于是，那位母亲只好把想跟丈夫说的话及每天的各种感受都跟孩子说。这位母亲平常特别喜欢与别人聊天，并以此为乐，她讲给孩子的话，自然成了最好的语言教育。后来，那个孩子终于成了不到5岁就懂韩文、汉字、英语的神童。试想一下，那位神童在听妈妈说话时，能想什么呢。当然根本不会想什么语法、生词、拼法等等，而只是把妈妈的表情、语调和话语中蕴涵的感情原原本本地接受了而已。

听磁带也应该持这种心态，才能达到最好的效果。也就是说，如果听一听就忍不住查词典是绝对不可取的。一定要坚持听下去，就像什么也不懂的孩童喜欢听妈妈那甜美的声音一样……

但事实上并非如此。因为多数人已经掌握了很多单词，不管发音准确与否，毕竟学发音的时间已经不短了。

所以，本着研究发音的态度听磁带也行。那么，总有一天你会渐渐领悟到介词或连词可以连读而过或几乎将其省略，而对重要单词则需放慢速度加以强调等发音要领。

3．坚持每天听，但每隔 6 天要休息 1 天

　　休息一天是因为就像酿制葡萄酒一样，学习语言也需要一个成熟过程。葡萄酒的纯正味道是葡萄、酒精和水充分混合的结果，真正掌握语言则是单词、发音和句子进入大脑并被系统化地加以消化吸收的过程。只有信息的接收而没有休息的过程，大脑自身的信息处理功能将难以正常运作，甚至可能发生时间投入越多效果越差的现象。

　　想必大部分人都有这方面的体会。尤其是需要背诵的科目，考试前能够倒背如流的内容，考试一结束，头脑里就所剩无几了。

　　与之相反，经过数月的研究过程所掌握的知识，即使过

·29·

了多少年也难以忘掉。当然掌握语言的过程与此不完全相同，但它们都需要经历一个熟悉的过程，这一点上，二者是一脉相通的。

4. 坚持到完全听到所有的内容为止

"完全听到"，顾名思义就是"听到全部"的意思，并不是"完全听懂（理解全部）的意思"。

也就是说，能够听到由磁带传来的所有的"声音"。对每个单词的发音都非常熟悉，虽然听不懂也不能准确地拼写，但能模仿其发音，这就算达到"完全听到"的程度了。

也有人主张应该配合相关教材听磁带，但这样做只能确认单词的拼法，几乎不能奢求其他任何效果。虽然能解决一时的问题，但对培养听力反而是不利的。

由于人们的五官在同时运动而产生功能(听觉、视觉、触觉、味觉、嗅觉)时会互相妨碍，所以它们不能完全发挥各自本身的功能。

闭着眼睛欣赏音乐感觉更好，闭着眼睛接吻更加使人陶醉，而捂着耳朵看恐怖电影效果就会大打折扣，原因都在于此。

☆ 结论

总之，第一阶段是全身心投入地熟悉英语发音的过程。在这一阶段里千万不要期望任何其他效果或为此而辅以其他方法，也不要翻阅相关教材。

就是说，除了培养听力外，不要奢求别的什么。在这一点上磁带的种类或水平其实是次要的。不管是什么样的磁带，只要是英语磁带就行。但为了下一个阶段的学习，最好选择与自己的水平和目的相适应的磁带。

完成第二阶段：
听读并举　掌握语法

第二阶段的七个要领

第一，把已经能完全听清的磁带中的第 1 盘磁带再找出来。

第二，听写这盘磁带的内容。

第三，做听写练习时，一句一句地听。即：听完一句后，先
按暂停，把刚才听到的写下来，反复听，直到完全听
清这句为止。不会的单词根据发音大致拼写出来即可。

第四，听写完整盘磁带的所有内容后，用英英词典确认不会
的单词的拼写是否正确（知道其意当然好，不知道也
不要紧）。

第五，按这种方法听写完整盘磁带的内容后，尽量模仿磁带
的发音和语调，从头到尾大声朗读（不满意的部分要
再听一遍磁带重新朗读）。

第六，感觉到所有的句子都已经能朗朗上口以后，便结束这
一阶段。

第七，整个过程中，每个星期要有 1 天与英语完全隔绝。

前功尽弃

　　K很长一段日子没到我这里来了，在这段时间里，我再一次出差去美国。由于是一个人出差，办完事我就回到宾馆，闲来无聊，只好翻来复去地调换频道看电视。美国电影还是看原汁原味的英语版才够味。这让我联想到我刚从德国回国时，看"名片剧场"时那种别扭的感觉。去德国留学前觉得很有意思的电影，现在再看时就觉得满不是那么回事儿了。

　　看着美国人用韩国语说台词，感觉很奇怪，虽然不像日本电视剧中美国人说日本话那样可笑，但总是无法融入情节。而美国人说德语倒是不怎么奇怪，是因为外貌相似的原因吗？

　　出差回来几天后的一个傍晚，K突然来了，依然是笑眯眯的。她告诉我："上次我按照你的方法，只用了10天的时间，就听清了1盘磁带，但还是继续坚持了整整1个月，然后我就参加了TOEIC考试了，没想到成绩竟然提高了200分。"

　　"哇，了不起！那这次得了多少分？"

　　"600分。"

天哪，她可真行！

"由于我在业务上与其他人接触的机会很少，每天下班的时间也不固定，而且总是一个人工作。所以我每天回到宿舍，都坚持听四遍磁带。"

"听四遍？真不简单。的确是人不可貌相啊。"

"怎么样？觉得这种方法如何？"

"您说得没错。头几天乏味极了。但是，中间歇了一天后，感觉就截然不同了。一下子听出了好多单词，真的很开心！"

☆ 时间的投入与水平的提高并不完全成正比

"嗯，我忘了告诉你。英语水平提高的过程，并不像一元方程坐标图那样呈一条直线。

"语言能力虽然与投入的努力和时间成比例，但其增长方式是呈阶梯型的。假设 Y 轴代表能力，X 轴代表努力和时间，刚开始的时候，X 增大，Y 值没什么变化。

"但此后的某一点上，x 值不变，y 值却垂直上升。然后，又有一段时期，保持水平线。之后这种现象会不断重复出现。

但是，如按我国传统的英语学习方法，垂直上升的幅度就非常小，几乎接近直线，也就是说能力的提高非常缓慢。与此相反，如果用我的诀窍，一开始呈水平状态的时间可能会比较长，但之后垂直上升的幅度将会非常大。用图表表示的话是这样的。

"加粗的坐标线，就像使用我所说的方法之后的效果线。"

"您说的没错。有一天好像一下子什么都能听清了。"

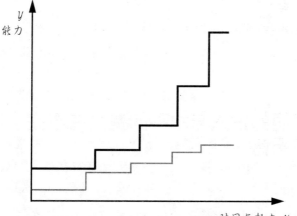

"从某一天开始能听清一两个单词，然后是句子，再以后是整个段落。"

"那我现在是不是应该再听一盘磁带呀？"

"对了，再听一盘，不过呢，要选择比先前那盘水平稍高一点的，方法还是一样。"

"上次我用了大概10天的时间，这次是不是也需要这么长时间呢？"

"哈哈哈！这次肯定不需要那么长时间，一周左右应该足够了！"

听K说，她的目标是考过TOEIC 2级，她也许正在用TOEIC磁带练习。

听完第二盘磁带，2级应该就没什么问题了。如果考不好的话，很可能是Reading的得分太少……

☆ 前功尽弃

果然如此。有一天K又来了，但在公司内部网络中登出的TOEIC考试合格者名单中，并没有K的名字。

"什么二级，我连三级都没考过。听力倒是稍微有点进步，可语法还不行。按照您的方法，能学好语法吗？"

"我曾经告诉过你，5个阶段全部完成后，TOEIC或TOEFL都不成问题。到那时你就能流畅地读英语书，看Talk Show

时也能跟观众一起笑了。"

"那我要是想通过2级，就得开始下一个阶段的学习了，是吗？"

"对，现在好像已经到了这一阶段了。第二盘磁带也听完了吧？"

"听完了，听第二盘磁带我用了5天的时间。"

且慢！不觉得有点奇怪吗？第一盘磁带坚持了1个月，第二盘5天就结束了……

"是吗？5天就听完了第二盘磁带，那么那之后你做了什么？我们大概有1个半月没见面了吧。"

这时，K的脸突然红了。

"我……我觉得总是因为Reading不好而提高不了TOEIC的分数，所以我听完第二盘磁带以后，就一直做练习题。但这才使我的分数提高了5分，简直气死我了！我今天来找您就为这个。也许是我什么地方搞错了……"

"那么，你该不会用那种配有韩国语解说磁带的习题吧？"

"是呀，我用的就是那种有Reading解说的磁带，都是用韩国语解说并给出正确答案。只是发音太'韩国式'了，难道这就是原因吗？"

"嗯，我想问题严重了。是不是在这次考试中，你的听力成绩也不理想？"

"对。才多对了三个，还不如上次呢。那我现在该怎么办呀？"

· 39 ·

"从头来呗。"

"您是说，从第一阶段开始重新来过？"

"对。如果中途回到'学习'英语的方法，只会半途而废。这次考试成绩不理想的原因正在于此。假如你没在中途改做Reading练习，听力部分的成绩肯定会大大提高。"

"那我重来吧。我终于明白为什么那么多人都以失败告终了……。他们也是像我似的没放弃要'学习'英语的想法。我一开始也是毫无疑虑地去听磁带，只不过是带韩语说明的磁带而已。但听着听着突然意识到，这样做岂不是前功尽弃了？我对只能接触英语这条要求的重要性还是坚信不疑的。但最终我还是开始背诵，而且听了10多盘有关语法练习的磁带，哎，结果却是只多答对了一道题……。'学习'这个传统方法好像的确已经过时了。"

"这也是我的失误，我本来上次应该多强调一下这一点的。不过这倒也证实了我的说法。现在对我的诀窍不会有什么怀疑了吧？"

"那当然。现在我确信要成功只能靠您的方法了。想来我真的很傻，上次测试提高了200分，当时明明想过这应该归功于您的诀窍，怎么后来就……"

"放弃一种固有的观念，当然需要付出一定的代价。咱们国家的人绝大多数都是这样的，通过推理得出的答案还必须符合自己的口味才能接受。所以将'不喜欢'和'错误'、'喜欢'和'正确'的概念混为一谈的人比比皆是。也就是说，自己不喜欢的就是错误的，喜欢的就是正确的。"

　　"虽然我跟他们不同，可也有些同感。我是属于那种明知故犯的类型。"

　　"会不会是投资太少的原因呢？哈哈哈。"

　　"啊，我明白您的意思了。您今天有空吗？我请客。"

　　"OK! 可是我爱吃的都比较贵, 没关系吧？太一般的菜我可是不吃的。"

　　那天，我们一起去了公司的食堂。

凭两盘磁带就能提高英语水平？

"在第一个阶段时，其实我也很相信您的诀窍，但心里还是感觉不踏实。'就凭两盘磁带，提高还能提高到哪儿去？要是真这么容易，还能有不会说英语的人吗？上次测试中分数提高200分，说不定是凭运气好得的。不管怎么说，语法还得另外再练习。'是不是只有像郑博士那样有语言天赋的人，才能靠这种方法同时掌握语法呢？"

一起吃饭时 K 这么对我说。我们用自己的母语说话时，从来不用另外学语法，可是惟独对英语，大家怎么就偏偏觉得一定要另外去学语法呢？我想，这是因为一开始学英语的时候，就是依照这种方法，这都是情有可原的。因为人们根本没机会接触别的方法。

"我曾经跟你说过，需要大胆地转变思想。我们不能把英语作为一门学科来学，它和数学或历史不一样，它是语言。是语言就不该抠什么是主语、谓语、宾语，应该像练钢琴一样逐渐达到熟练。无论怎么熟悉语法或其结构也不能说好英语的原因，同无论怎么熟悉钢琴的键盘位置和原理也不见得弹好钢琴的原因是一样的。练钢琴时，练到一定程度，曲子的旋律和自我的感受相互和谐，手指很自然地跟着曲子走。我所说的决窍也许正是帮助你到达这种水平的途径。"

"而且，TOEIC的Reading与我们通常所说的语法还有一定的区别。它检验的是你的作文能力和理解能力，也就是接触得多了就能不知不觉掌握的部分。"

"那么，及物动词、不及物动词等等都没必要学了吗？句型也不用分析了吗？"

"当然也有个别人需要学。但对一般人来讲没什么必要。咱们国家的人即使对韩国语的语法一窍不通，不也照说不误吗？咱们国家教英语的方式往往看重怎样将英文内容完美地转换成韩语的方式来表达。例如，美国人的表达方式是'This problem /is very difficult/for me /to solve'，而咱们国家的英语教育总是强调要将其理解成'This problem/for me /to solve/is very difficult'（中国人理解为：for me / this problem/is very difficult/to solve；对于我来说，这个问题很难解决。）"

· 43 ·

"试想，我们从初、高中时代的英语课堂上究竟学到了什么？他们根本没有给学生直接用美式方式表达的机会。"

"是啊，现在想来还真是这样。其实只要知道他们就是这样说话的，我们就应该这样记就可以了。"

"对。就像我们能接受我们的见面礼节是鞠躬，而他们的

见面礼节是亲吻这一事实一样。"

"所以说，熟练Reading也应该跟我们通过看童话书、小说或者去漫画店看漫画等途径熟悉母语一样。当然我的诀窍提倡的并不是读英语小说。我是说，原理是一样的。"

"也就是说，第二阶段和第三阶段也是以这个原理为基础的，是吗？"

"对。做第一阶段练习时，有没有过其他疑问？"

"对方法本身没有什么疑问，因为没什么难的。就是一开始的时候总犯困。TOEIC磁带内容非常枯燥，再说，在不知道是什么意思的情况下还要反复地听，精力自然无法集中……。听第一盘磁带时，一直担心这样边犯困边听不会有什么效果。但是，奇怪的是，即使这样，每个星期天歇一天星期一再听时，还是发现有很大的进步。"

"语言本身就有一种在无意识状态下自我领悟的倾向。孩

子学说话的过程其实就是这样。这种方法最适合坐公共汽车或地铁上班的人，因为比起只是坐在车上或打瞌睡来，这样做可以大大提高时间的利用率。"

"磁带长度多长才算合适呢？一般TOEIC磁带两面加起来是60分钟。"

"那是最合适的了。从A面听到B面，听完一遍后，先喝杯水，然后再听一遍，两个小时一会儿就过去了。"

"在车上反复放着听怎么样？会不会有效果？"

"有效果倒是有效果，但是，中间不是时常要间断嘛。要靠这种方法吃透一盘磁带，可能需要相当长的时间。"

第二阶段的七个要领

第一， 把已经能完全听清的磁带中的第1盘磁带再找出来。

第二， 听写这盘磁带的内容。

第三， 做听写练习时，一句一句地听。即：听完一句后，先按暂停，把刚才听到的写下来，反复听，直到完全听清这句为止。不会的单词根据发音大致拼写出来即可。

第四， 听写完整盘磁带的所有内容后，用英英词典确认不会的单词的拼写是否正确（知道其意当然好，不知道也不要紧）。

> 第五，按这种方法听写完整盘磁带的内容后，尽
> 量完全模仿磁带的发音和语调，从头到尾
> 大声朗读（不满意的部分要再听一遍磁带，
> 并重新朗读）。
> 第六，感觉到所有的句子都已经能朗朗上口以后，
> 便结束这一阶段。
> 第七，整个过程中，每个星期要有1天与英语完
> 全隔绝。

☆ 一句一句听写的理由

"等一下，非要选择第一盘磁带有什么特殊的理由吗？"

"有。上次我也说过，开始一个新阶段时，最好先选择比较容易的。这样才更有成就感。当然，也更能引起人们的兴趣。"

"有道理。这样一来，至少坚持到完全吃透这盘磁带为止应该没问题吧。"

"当然，但实际上，收获还并不止这些。要不要我给你一一指出来？"

"为什么听写时，不一个单词一个单词地听写，而听写一个句子呢？"

"那是为了熟悉语调。再说，单词和单词之间有时还有需要略读的情况……"

"对了。人们说话时并不是一个单词一个单词地说，我们的目标是向经常说英语的人'说话时的一般方式'看齐。所以，练习听他们所说的话是相当重要的。还有，你知道为什么在完整地听清一句话之前必须反复听这句话的原因吗？"

"这个我还真不知道。"

"那是因为听不清楚的那部分还掺有没有吃透的发音。如果不熟悉它们的话，有那些发音的句子就不可能听懂。"

"对，那是肯定的。可是要是不管怎么听也不知道如何拼写的话该怎么办呀？"

"遇到这种情况时，随便写一个最接近的拼法就可以了。虽然不能规定至少要听10遍或者20遍，但只要自己感觉'能听出来的都听出来了'，就可以这么做了。因为总有一天你会知道的。"

·47·

"您是说到检验拼写结果的时候吧？"

"是啊。"

"到时必须用英英词典吗？"

"那当然。英韩词典的害处实在是太大了。用英韩词典，当时可能觉得挺痛快，但一旦形成了习惯，就永远也不会达到'用外语思维和会话的水平'。"

☆ 什么叫"用外语思维和会话的水平"？

"用外语思维的水平是什么意思呢？"

"那是指我说过好多次的说外语时'舌头比大脑'更快的

情况。也有个别人，他们使用英韩词典，费了很多功夫，好不容易达到了相当的水平，但这些人说英语时，仍然是头脑比舌头动得快。他们先把想说的话在大脑里整理一遍后再用舌头说出来。仔细分析这个过程，其实是多了一道把韩国语译成英语的程序。所以，他们往往不能马上回答别人的问话，而且说出来的话总是有点不自然。"

"那么，英语好的人在说话时直接就有英语浮现在头脑里，是吗？"

"对。你很聪明嘛。人们只有在听到英语后，在头脑里直接浮现出用英语如何回答时，才算真正掌握了英语。现行的英语辅导书中有很多用韩国语作注解的书籍，用这类书无论怎么学也是不会有多大成效的。更令人不可思议的是，有些书竟然还用韩国语标注发音。照这么念的话，美国人是无论如何也听不懂的。"

☆ 为什么要大声朗读？

"要求从头到尾大声朗读，是为了练习说话吗？"

"不仅仅是为了练习说话，你也知道看书时如果读出声，尤其是大声朗读，会影响对内容的理解吧？"

"对。是不是光顾着朗读的原因呢？反正上学时老师点名朗读时，朗读以后自己也不知道念了什么。"

"对。光顾朗读时，换句话说，就是同时运用听觉和视觉时，知觉能力就会下降。在读英文文章时这种倾向会更严重。但是，如果反复大声念相同的文章，就能不知不觉地理解其中的意思。奇怪吧？"

"这是为什么呢？"

"是反复练习的结果。首先在听的方面，已经习惯了英语发音，而且具有了通读的能力。"

"通读？"

"也就是精读的反义词，即我们平常读小说或散文等作品时经常运用通读的方式。就是不对文章的每一个单词都那么费神，而只是随文章情节和内容一直读下去的方式。"

"噢，原来还有这么深奥的含义啊。"

"深奥吧。这就是人类自然而然地掌握语言的过程，哈哈哈。"

"还有，到'完全朗朗上口的程度'指的也不是背诵的意思吧？"

"当然不是了。也许结果会那样，但重要的是'朗朗上口'。背诵是靠大脑来完成的，可'朗朗上口'是靠舌头来完成的。到时候，当自己听见自己的英语发音时，就会觉得很自然。"

"我说英语还做不到'舌头比脑子快'，要是有一天能那样该有多好啊！"

"要树立一种信念。这种信念不是'我行'，而是'我确实会成为那样'。说实话，光凭那些通常所说的'不行就要努

力做到行' 或 '只要努力一定能成功' 等军事化口号，根本
不可能取得成功。冷静的头脑和洋溢的热情是缺一不可的。"

"是啊。费那么多功夫背诵整个英语词典，或背诵整篇美
国总统的演说稿，实际上根本没什么用，原来是这个原因呀。
光凭着一股热情学习……"

"现在想想真快把我气死了。当年高考前的复习阶段，我
真是白白地浪费了太多的宝贵时间。为了英语高考，我做了
无数的精读练习题。有些文章由于不懂的单词就占半数之多，
光单词解释就能填满书的空白处。但现在连背过单词的一半
的一半都用不上，不是还有人夸我英语好吗。不知道为什么
我们国家没有从那时，不，从比那还早的时候就考虑放弃这

种愚蠢的方法呢？更不可思议的是，那些方法竟是从先前日本军国主义殖民时期延续下来的。看记录当时情况的小说，便很容易发现这一点。在这类小说里有学生背完一页英语词典就把那页撕下来吃到肚子里的内容，连我的学生时代也有过这样的同学。如果这是事实的话，从过去的文教部到现在的教育部，所有负责外语教育的公务员都是最大的笨蛋。"

"可是，公务员因光拿工资不干活而挨骂的事也不是这两天才有。况且也并不只是教育部门才这样……"

"对，对。我跑题跑得太远了，言归正传吧。语言是应该灵活的。如果只是装在书本或脑子里的话，绝不能随舌头自然而然地说出来了。只有真正地把握了声音的高、低、强、弱、长、短之后，语言才有生命力。"

"我会记住您的话的。已经很晚了，我该回去了。"

"好吧。好好努力吧。从现在开始就会越来越有趣了。"

牢记诀窍之二

1. 听写第一阶段第一盘磁带的内容

　　小时候，我们都做过听写练习，都知道这是为了测试是否能够准确地写出单词。但小时候所做的听写和这里所说的

不清楚的部分，当然要去听磁带，把它搞定！

听写，其目的是截然不同的。

　　这里所说的听写为的是熟悉英文句子，因而要求每听一句话就要试着写出来。学过英语的人可能都有过这样的经历：跟美国人交谈的时候，开始多少能听清点儿内容，但聊的时间一长，就几乎听不清对方说的是什么了。这也许是因为习惯了短句的原因，但归根结底还是因为没有丢掉将精力过分集中于单词的坏习惯。

　　也就是说，一两个生词完全搅乱了整个思维。在想那个单词究竟是什么意思同时，就根本听不清对方下面说的是什么内容了。当你能够熟练地听写句子后，自然而然地就具备了区分重要单词与不太重要单词的能力。

　　需要注意的是，听一遍写一个单词，再听一遍再写一个单词的方法是不可取的。必须首先听完一句话能记住多少就先写多少，然后再注意听一遍没听清楚或只是大致写下来的单词。在这时候也要注意，不能看着已经写下的部分听写，要一直眼望空中或闭上眼睛去听，然后再写下来。

· 54 ·

2．不会的单词要查英英词典

　　此时查词典的目的只是为了确认如何拼写，并不是为了理解词义。如果明白是什么意思当然更好，但更重要的是使发音和拼写相一致。如果用英英词典实在查不到，也可以借助相关教材。但相关教材一定要在最后时刻再拿出来翻阅。不然的话，就无法了解自己对哪些发音还没有熟练掌握，对哪些发音有听觉误差。

　　通过查英英词典和再一次听磁带的过程，可避免过于盲目地相信自己的听力。通过这种方法牢记自身听力方面的不足，可避免重复犯同样的发音错误。韩国人最常犯的毛病，即分不清 L 与 R 的毛病，也可以通过这个方法得以矫正。

· 55 ·

3. 从头到尾大声地跟读

　　在这里最重要的是"大声"和"从头到尾"。大声朗读首先是为了熟悉自己用英语说话时的声音，免得以后被自己说出来的英语吓倒。从头到尾地跟读是为了培养一口气说英文的能力。而且在这个过程中，也可以自然而然地掌握通读能力。应该以模仿准确发音的态度来对待，最好是像做"声音模仿"训练那样。

4. 直到能够朗朗上口

　　朗朗上口指的是发音方面的熟练程度，是指自己确信已

经达到了不看也能说得很流利的水平。自我测试的最佳方法是把自己的声音录下来后回放。

也许读的时候自我感觉发音很准确，但录下来后回放时，往往会发现很多叫人脸红的发音错误。特别是对于习惯说方言的人，只有录下来再听一遍才能认识到这些错误。发现的不足部分应该集中攻克，反复练习，争取矫正。然后，再次录下来进行比较，你会发现进步是很显著的。

☆ 总结

第二阶段应该只使用第一阶段听过的磁带。有些人认为可以直接从第二阶段开始，但这种想法是绝对错误的。因为第二阶段的目的并不在于使发音和拼写相一致。

这一阶段对于熟悉应该以什么样的语气说话、应该怎样连接句子和句子并使语调得以形成来说是必需的一个阶段，是习惯说英语的过程。

自己的英语发音达到非常接近美式发音的程度时才算大功告成。只有这样才能树立起说英语的自信心，因为这时你已经对自己的发音并不觉得陌生，而且感觉有点儿像那么回事了。

突破第三阶段：
跃跃欲说　出口成章

第三阶段的七个要领

第一，用英英词典查以前做听写练习时不懂的单词。

第二，把单词的解释和例句记下来，若这其中还有不懂的单词的话，继续查词典。

第三，查词典要坚持查到没有不懂的单词为止。

第四，大约查1个小时后，暂停查词典，并大声朗读通过查词典整理出的内容。

第五，朗读约1个小时后结束。

第六，每周要歇1天。

第七，查在原文和单词解释中出现的所有不懂的单词，并一直朗读到完全吃透解释和例句为止。

韩国人免进

  像 K 一样有一定英语基础的人，过第一关比较容易。而一点英语基础都没有的人，则就要经历一个非常艰难的过程。

  首先，仅听一两盘磁带是远远不够的，连 ABC 都不懂的人更是如此（这些人在开始第一阶段的学习之前，首先需要进行一个阶段的学习——作者注）。要从最基础的磁带一直听到达到自己母语水平的磁带为止，而且每一盘都要做到能够完全听清。

  实际上如果真的去做的话，也并不是难到坚持不下去的程度。因为语言能力的增长并不仅限于进入头脑的语言量所限的程度，由大脑语言中枢自行领悟的部分也是相当可观的。而且，随着所听磁带数量的增加，每完成一盘磁带所需的时间呈几何级数状递减。事实上，问题并不在于此。

  英语基础差的人不能将这种方法坚持到底的主要原因是自暴自弃。只要遇到困难就说，"哎呀，这种方法不适合我。怎么也得有点英语基础才可能嘛。"然后，又开始"学"英语。只有这样他们才觉得踏实，但英语也将随之成为坚不可摧的

壁垒，永远无法攻破。

语言是文化的表现工具。每个人的母语水平，都代表了这个人的文化水平。本来英语说得就不怎么样，到需要说英语的时候，还先用韩国语思维，再用很短的英语句式来表达，这样一来，话肯定说得一塌糊涂。他们因此也就失去了信心，进而形成恶性循环。

以前英语就不错的人情况就更复杂了。他们大都具备了相当于母语词汇量的英语词汇水平，也具备了能借助词典造句的能力。可一旦到了需要说英语的时候，语法和词汇就乱成一团，根本说不成话，甚至10分钟也造不出一句像样的句子。等他们好不容易造出了一个句子时，才发现人们早将话题换成别的了。

在这些人当中，有人遇到这种情况就自暴自弃。说什么韩国人再怎么学英语也是有一定限度的，自己可能已经到达这个极限了，或者说既然我那么用功学也不行，是不是根本不具备这方面的素质等等。

这还算是好的。最糟糕的是有些人干脆不想学英语。这些人当中大部分人是追求方便的国粹主义者，或者说诡辩论者。他们不仅对那些英语好的人敬而远之，甚至还藐视那些想好好学英语的人。不知道这些人知不知道，就像我们的母语一样，别的国家的语言也同样是非常珍贵的。

这些人即使去外国也不顾他国和自国之间的文化和意识的差异。只要是跟自己国家不一样的，就对其倍加轻视，总是按自己的想法我行我素。

在德国时我曾经接待过到那里出差的大企业的精英们，直到现在，一想起那件事我就觉得脸红。有一次，我们去一家超市购物，当被告知这里是禁烟区时，竟有人一边用脚搓灭烟头一边抱怨道"什么先进国家，怎么这么不方便！"还有一些人，发现没有大型建筑物便说"这可真是个落后的地方啊"等等。之后的情况就更是让人哭笑不得了。

我也认为这只是一种特殊情况，但在韩国人中，这样的人并非少数。欧美著名旅游景点的许多免税店的门前就用韩国语写着"韩国人免进"，还有很多宾馆干脆不接待韩国的旅游团。这些事实都证明，那些给国家丢脸的国粹主义者的确不在少数。

如果执意要说这种现象是对外国人的歧视的话，我也实在无话可说。对于这些人而言，只有韩国语是有用的。理由是因为韩国语是母语。但谁都不难看出，真正的理由不在于此。那些明明有必要学也不学的人这样做，或许是为了掩饰自己的懒惰，或许是为了根本没必要的自尊心……

英语是一种非常重要的语言，这一点毋庸置疑。但语言只不过是语言而已。诸如"应该像解答数学问题那样解答英语问题"，"英语也是一门科学"等等说法，使英语学习变得复杂化，这都是由以精读为主授课并考试的我国外语教育方式造成的。

当我真正掌握德语和英语后，最先感觉到的就是，真正的当地人所说的话，无论词汇还是语法都是非常简单的，但

这并不妨碍他们之间的相互交流。当我熟练地掌握了那些简单的话以后，神奇的现象便发生了。

我开始能够看懂哲学、社会学等书籍中比较复杂的文章了！这就像不知从什么时候开始不用查词典也可以看懂韩文文章一样。事实上，无论是英语还是德语，凡是语言应该都一样，因为语言最主要的特征之一就是"自然领悟"。

从那天起，我又有一个月没见到K。有一天，传来了K调到公司其他部门的消息，而网络上仍然没有她通过二级的喜讯……

再次见到她是在从蚕室站去往教大站方向的2号线地铁

上。时间大约是晚上8点多钟，我发现她时，她正坐在座位上打盹，膝上放着一本打开着的书。我走近一看，像是一本英语精读书。我叫醒了她之后，我们在教大站一起下车并去了附近一家咖啡店。

"最近怎么样？新的工作有意思吗？"

"不知道，反正挺累的。工作嘛，干什么都不会太容易的。"

"还要自己给自己充电就更累了，是吧？"

"您已经看到了，我放弃了您教给我的方法。因为它实在太难了。每天要抽出2个小时的时间，这对我来说太不现实了。"

"那么，你觉得传统的方法就可以了吗？"

"传统方法的最大优点是比较具体。能理解过去无法理解的语法部分，所以觉得也挺有意思的。"

"好，既然如此，那你就坚持下去吧。把那本书都看完了的话，你还会参加TOEIC考试吧？"

"对。恐怕只有通过一级，我才能从TOEIC的沉重压力中解放出来吧。"

"但愿如此，虽然不是什么好方法。这次对提高分数有信心吗？"

越学习成绩反而越下降

从"习惯化"的英语学习方式，中途换成"学"的学习方式，过去好不容易形成的习惯，在两三天之内就会丧失殆尽。虽然我也不知道这到底是为什么，但是从你又开始背诵的那时起，就会开始发生上述现象。就这样过一两天后，除了背诵的内容以外，其余的几乎是所剩无几了。

但是，由于开始时，通过前一种英语学习方式，即"习惯化"的方式所能掌握的英语水平较低。而通过后一种学习方式，即"学"的方式所学的内容水平较高，因此，尽管靠这种方式掌握语言马上就会碰壁。人们也往往会不假思索地继续"学"下去。

K陷入的陷阱是我国人在伴随着成长而经历的学习过程中所养成的习惯造成的。从初中到大学期间，学习的方式主要是用功地读、写、查，这种方式能使学生在桌边度过很长的时间，这样就能使父母和老师满意，而且学生也会因为自己一直奋斗至考试前夕而感到非常充实，所以这种方式一直占优势，本应该根据科目、个性和各自的人生目标而各异的学习方法和过程，却千篇一律地局限在这一种方式上。

我国的英语文学研究者对英语文学这门学科的研究方法也如出一辙，但是在国外，同样是研究英语文学的人，有时会去访问自己所研究的作家的故乡，甚至可能趁假期赴非洲访问这位作家的后代。为了了解这位作家作品中的时代，会特意去辅修历史。为了见到也同时在研究这位作家的人，会不停地参加研究会或研讨会。他们之所以能够这样做，是因为他们小时候接受了合理的个性化方式的教育。

在韩国，哪怕是在幼儿园学画画，也要全体画同样主题的画，不管你喜不喜欢，自由选择的方式是不被接纳的。而在国外，幼儿园的老师只是在适当的地方——无论怎么玩水彩也没关系的地方，摆好画架、图画纸和各种颜料，然后对孩子们说，"来吧，这里有各种画画需要的东西。想画画的人随时可以到这儿来画。"然后就只是站在旁边看孩子们画画。不管孩子们怎么画，老师都不会干涉。

这样长大的孩子在以后参加美术大学录取考试时，从出发点就已经领先于我国的孩子们了。"描绘书架倾倒时书架上的书噼里啪啦往下掉的情景"——这是德国某美术大学的入学考试题。那么，韩国留学生是如何表现的呢？他们大部分只是注重了写实描画，结果都落榜了。而合格的德国学生都各自描绘出了各种各样的情景。譬如，有的学生画的是一本书像小鸟般展翅飞翔，有的学生画的是 α、β 正从书中掉出来，有的学生画的干脆就抽象得一塌糊涂。

　　指望我们国家的人也这样做目前来说尚不现实。听说，现在小学一年级学生还要上1个月学习队列、稍息、立正的课。我真纳闷我们这个国家究竟还有什么希望？从军事独裁30年，不，加上日本殖民时代的话应该说是70年，接受的都是这种教育。如果想要完全从这种教育体制下摆脱的话，恐怕需要至少一个世纪的时间。

　　当然，这是以现在马上就开始行动为前提的。但可悲的是，就目前来看，永远都不做这种努力的可能性似乎更大。

　　无论是什么学科在学习中都有需要注意的地方。譬如，数学、物理、化学等是运用现象和原理来进行研究的学问，所以应该以启发逻辑思维或探究前因后果的方式来学习。也可以说关键是在于投入多少时间做习题。

　　但语言则不同，语言只是生活中的一种工具而已。灵活运用工具的关键在于掌握该工具的熟练程度。

　　K的成绩反而有所下降。虽然在语法方面多答对了15分，但在听力方面，却倒退了20分。

　　"听力成绩的下降是可以理解的。但我下那么多的功夫学语法和精读，竟然只多答对了3道题，实在是太冤枉了。所有的努力都泡汤了。早知这样还不如不学呢……"

　　"答题的时候有自信吗？也就是说，是否肯定你答的就是正确答案。"

　　"没有。语法几乎都是瞎猜的，虽然题目并不难……"

　　"这就是以背诵为主的方式学语言的盲点。学习过程中的

成就感与实际上取得的成绩有显著的差异。再加上忘记的速度总是比记忆的速度快得多，所以只有每天翻书才能避免'赤字'的发生。"

　　"那现在怎么办呀？要不从头再来一次？"

　　"对。那是最好的方法。应该重新构筑大脑的语言体系。你能重来吗？"

　　"我一定要重来，早知如此不如当初好好坚持了。其实从上回提高200分以后，我就没再好好做过。可能是由于这个原因，第二阶段感觉有点索然无味。后来就因为家中的事情耽误了，后来又换了部门，再后来……"

"快到考试的时候，我开始着急了。我原以为由于上次在听力方面提高了不少分，这次只要在语法方面下点功夫的话，肯定还能提高成绩。"

"如果你完成了第二阶段的话，听力成绩就不会下降得那么严重。到一定的阶段以后，由于听力已经得到充分的锻炼，即使隔很长时间也不会受影响。在外国生活一段时间后回国的人当中，有些人已经说不好韩语了，但他们不是还照样能听懂韩语吗？"

"好像是这样的。那要是一天只听一遍，还能有效果吗？"

"虽然那样可能需要稍长一点的时间，但因为你已经是第二次了，进度应该会很快的。"

终于突破第二阶段

第二阶段中发生的最明显的变化就是英语好像已经可以脱口而出了。即使是自认为不具备语言素质的人，也就是那些舌头不太灵活的人，虽然达不到这种水平，也完全能够在说英语时显得很自然而不那么生硬。

这对咱们国家的人尤为重要。在只能按照国家规定的课程进行教育的环境下，就算把小学、初中、高中一直到大学全部加起来，咱们国家的人用舌头说英语的时间也是微乎其微的。

随着人的成长，想法也越来越多，但语言表达能力却跟不上。看看那些在电视里出现的普通人，说话时词不达意的人实在是不计其数。

不知从什么时候开始，咱们国家的所有电视台，即使是韩语节目也在画面下端给出字幕，这与咱们国家人的语言表达能力较差不无关系。不仅仅是发音不准，有时根本没法让人理解说的是什么意思。也许电视台的这种做法是出于无奈，但从我个人的现状来说，这倒是可以理解的，因为这样有助于

千万别学英语

理解内容。

　　想一想公司中那些上司们的表达能力。他们每天都要向下属下达好几次指示，还要经常参加会议。但他们当中又能找出几位可以准确、完整地表达自己意思的人呢！

　　连母语都是这种水平，单靠脑筋、眼睛和手就能学好外语吗？除了与外国的语言障碍者进行笔谈以外，还能有什么用场？

　　要把英语"搬到"舌头上，关键在于准确地摹仿发音。这正是我们韩国人做不好或者说不愿好好做的事情。那些发音比较难的单词，有可能一开始的时候发音不准确，往往在这种情况下有些人就放弃了。但是，看看孩子们，开始学说话的时候，常常因为发出奇怪的音而逗人发笑，可长大以后，个

·72·

个都能准确地说所有的话。那是因为舌头的肌肉已经被锻炼得能够完全准确地发出这些音了。

并不是大人的舌头不行，只要经常训练肯定也是可以的。与大多数人不同，有一个人把自己第一次大声朗读的声音录下来，并与后来学得差不多时的声音做了比较。结果太让人惊诧了，既惊诧于当初发音的幼稚，又惊诧于后来取得的进步。这时也许有人会说，"哎呀，看来外国人还是能听懂我们的韩式英语的……"也许只不过是那个外国人有求于你，或者出于礼节性的考虑一直在忍耐而已。但如果英语太糟糕的话，那个外国人一定会受到精神上的折磨。

第二个变化就是克服了总想把英语译成韩国语的习惯。很多人并不知道，由于总要把英语译成韩国语这一习惯的存在，使得本应能学好英语的人也没能学好。

当然这一现象的产生与以精读为主的教学体系是密切相关的。只有抛开这种坏习惯，才能迎来完全理解英语语义的"新纪元"。只有与用韩国语的意思来理解英语的谬论彻底决裂，英语才能作为又一种语言融入自己的体系。

这里所说的将"英语融入自己的体系"，指的并不是能流利地说英语，而只不过是对英语不再觉得那么陌生的意思。从这时候开始，你听到什么就能记住什么了。

"听到什么"的意思与听懂什么的意思没有多大的差别，即能听出表达方式的差异并能记住的意思。通过这种方式记住的东西，需要时便会立即反应过来并派上用场。

☆ 得意门生终于突破TOEIC 2级

K终于突破了TOEIC 2级。看着登有这个消息的画面，我在想，她又该来找我了。因为现在她应该不再是执著于TOEIC级别的阶段，而是产生完全征服英语的欲望之时了。

初夏的一个晚上，她拿着装有红薯和饮料的购物袋，出现在我的办公室。我们就和几个还没下班的职员一起聊了起来。平常打她主意的家伙们，就想方设法和她搭话。因此我有幸通过这样的途径了解到她对语言学特有的兴趣。她原本是学法国文学的，她的法语发音还不错。

"我会说的法语就这些。如果我早知道这个诀窍，可能早就学会法语了，而且可能早已到法国留学了。"

她在不经意间，说了一句非常重要的话："如果早学会法语的话，可能早就到法国留学了。"说这句话的她，是不是早已了解语言是留学成功的基本前提了呢？

"说实话，想要留学的人，起码要把那个国家的语言学好了再过去。我遇到很多人只因语言不过关，结果荒废了已坚持10多年的学业，最终无奈地回国。"

这时候，有一个人提出了异议。

"我有一个老师在美国留学，他因为说不好英语，一见美国客人就尽量回避。那么，他是怎么获得博士学位的呢？"

"因为我没在美国留学，没有亲身体验，不知道确切原因。我有一个朋友是美国博士，可让他说英语他就生气。听他讲，韩国人有这方面的特长，如果只是去攻读博士课程，即使语言功底不好也完全能够把那些在进行论文答辩时可能提问的问题答案倒背如流，获得理工学博士学位，而欧洲国家连这些专业也要求具有良好的语言功底……"

其实去外国留学如果只修读博士课程是远远不够的。虽然没有人公开这样说，但这是有留学经验的大部分人的共识。这是因为在美国、欧洲大陆和英国，要成为某一专业的专家必须在研究生院攻读硕士学位的过程中就打好基础。

而博士课程是逐渐具备独立进行学问研究能力的过程。博士学位证书就是证明具备独立进行研究的能力的证明书。也就是说，博士学位并不是证明这个人在某个领域中具有总体的专业性。所以，如果要学到那个国家的先进学问，一般应该从硕士课程开始。咱们国家大学的教育水平是如此差劲，还想只通过博士课程就拿到博士学位，这实在是太离谱了。

· 75 ·

☆ 从一开始就到国外学习是不是更好？

"到美国、德国、法国完成硕士课程意味着要以那个国家的语言写出报告，并在研讨会上宣读、答辩，还需要阅读和掌握数百册专业书籍，还得经过考试，并且在欧洲还要参加口试，最后写出数十页到数百页的论文。这一点即便是用母语

也是相当难的过程，何况要全部用外语来完成，而且还要和那些在那个国家土生土长、年龄比自己小一辈的年轻人竞争，想一想真不是一件容易的事。再加上那些欧美人都是受过与我们国家不同的、极其正规的教育才进入大学的，所以问题不仅仅在于语言。换句话说，就算语言能力非常好，也不一定竞争得过他们。"

"是啊，要是语言真那么重要，是不是就需要到那个国家去学当地语言啊？想在咱们国家学，也找不到正经的地方可去呀……"

这就是咱们国家的留学生中常见的、典型的错误观念。其实，到了那个国家更难找到适合韩国人学当地语言的地方，因为那里只有适合罗马文字文化圈的人学习的方法。他们根本不会考虑一个来自于韩国的、不知在东方哪个角落的国家的学生具有哪些语言观和习惯的问题。根本不可能探讨咱们国家的人真正需要何种口语训练方法。这是由于班里大部分都是外国人，也就是来自西班牙、意大利、法国等罗马文字文化圈国家的学生，还有来自伊朗、伊拉克、土耳其等阿拉伯文化圈的学生，他们要不了多久都能说上一口流利的当地语言。当然，这里不包括韩国人。韩国人只是不顾一切地学语法，一旦过了语法关，就又一味地练习精读，总之，到当地也一如既往地用国内的老一套方法学。

认为出国能与当地人交流，有助于提高表达能力，这是错误的想法。开始的时候，当地人觉得韩国人说当地语言挺新奇，会愿意与你谈话，但时间不会太长。因为谁也没有那么大的耐心去听那些听起来很费劲的话的。

"咱们韩国人在出国留学前，最好能具备一定的外语能力。这是什么意思呢？这与先耕耘后播种的道理是一样的。到国外，所见所闻都可以用来学习。但是，如果没有一定的基础，即听力和通读能力，就根本无法吸收。所以，到了国外后，咱们国家的留学生还是同在国内时一样热衷于去培训班，但一到讨论课，就低着头不敢把头抬起来，因为怕被点名……"

☆ 不是每个留学生都能拿到博士学位

"那他们怎么学专业课呢？实际上不都能拿到学位回来吗？"

"啧，你可真是孤陋寡闻。据多年前文教部的统计资料显示，咱们国家在美国的留学生，能拿到博士学位的比率为10%，在德国为3%。因为大家所见到的都是成功的人，而失败的人却早已躲到一边去了，所以才会产生人人都能拿到学位的假象。实际上能够拿到博士学位的人还是极少数的。"

"啊，我知道了。原因在于语言表达能力不行。"

"那是过于简单的结论。所学专业的不同，有可能成为非常重要的原因。当然，也有一些人语言掌握得不怎么样，却

还是能够拿到学位，但那只限于在用实验结果或公式就能说明问题的领域，这一点通过对各专业的统计就能看出来。在语言能力至关重要的人文社会学领域，恐怕成功率就不会那么高了。"

"真正重要的是能够流利地说当地语言，能够与当地的教授、助教及学生进行专业性的对话，这样才算达到了留学的目的。那里不是灌注式的教学，讲课内容也根本没有进度的概念。教授只是在学术上起到一种指引作用而已。学生自觉地查阅相关的资料和书籍，自行研究，在研讨会上相互交换意见，通过这种方式来掌握知识。咱们国家的硕士生中由于不适应这种学习方式而失败的人大有人在，在硕士论文答辩中落榜的情况也屡见不鲜……"

这时候，K 突然面带微笑问道："听您这么说，按照您的诀窍，沟通应该是没问题的。那么，写论文也能行吗？"

舌根发痒　一说为快

听到这句话时，我觉得终于到了该教她第三阶段的时候了。

"K小姐，请跟我来，只有投了资的人，才有资格得到我的诀窍。"

避开大家诧异的眼光，我们挪到旁边的办公室。

"这次TOEIC考试中，语法成绩怎么样？"

"其实我来的目的就是为了这个。语法成绩根本没有提高。得到的分数都应该归功于听力。"

"你在第二阶段完成了几盘磁带？"

"5盘。"

"都有哪些种类？全都是TOEIC磁带吗？"

"对。"

"是吗？那可有点问题，但这并不防碍教你第三阶段。好，从现在开始，你要记住我说的内容。"

 # 第三阶段的七个要领

第一， 用英英词典查以前做听写练习时不懂的
单词。

第二， 把单词的解释和例句记下来，若这其中
还有不懂的单词的话，继续查词典。

第三， 查词典要坚持查到没有不懂的单词为止。

第四， 大约查 1 个小时后，暂停查词典，并大
声朗读通过查词典整理出的内容。

第五， 朗读约 1 个小时后结束。

第六， 每周要休息 1 天。

第七， 查在原文和单词解释中出现的所有不懂
的单词，并一直朗读到完全吃透解释和
例句为止。

　　"那么，也有两个钟头也查不完一个单词的时候吧？"

　　"你还真聪明！一开始的时候，这种情况会相当多。有时候查着查着，竟然不知道首先要查的是哪个单词了。其实，那第一个单词就是第一个按钮而已。"

　　"是什么按钮呢？"

　　"我的意思是，那是通往英语最基本的词汇库的起点。你想想，我们利用词典查生词的时候，无论是外国语还是韩国语，想得到的是什么样的答案呢？肯定希望得到一个通俗易懂的解释。所以，所有的词典上的解释都是由最基本的词汇组成的。"

　　"您的意思是，如果掌握了最基本的词汇，以后就能够非常容易地掌握其他词汇。真是太有道理了！"

　　"除此之外，如果运用这种方法，还能有一个另外的收获。"

　　"是吗？是不是常用的句子形式等等？"

　　"差不多。说得具体一点的话，是能完全掌握'书面语体'的句子形式。需要对某一事物进行说明的时候，往往可以看出一个人口才的好坏。通过这种方法学习的话，不仅可以完全用英语来掌握这一切，而且能够锻炼怎样以最基本的词汇来很好地组织谈话内容。这对英语的实际应用非常有利。举个例子来说，假设你去美国的一个超市，想买'黄瓜'，可不知道放在什么地方。这时候只要问问营业员就会知道，但你却不知道'黄瓜'一词用英语怎么说。此时，你不必用手比划或画出黄瓜的大概模样，而是可以这样问：'长的，外皮是

深绿色，里层是浅绿色的蔬菜叫什么'。这样你就不仅能得知其位置，而且能学会一个新的单词。等你熟悉了基本词汇以后，在和别人交谈时就能像这样应付自如了。"

"如果能那样，实在是再好不过了，我真有点不敢相信，您说的是真的吗？"

"其实，还能培养一个重要的能力。恐怕你听了会觉得更难以置信。"

☆ 掌握活的语法的能力

"快告诉我，那是什么？"
"还有一个掌握活的语法的能力。"

"什么活的语法？活的…… 活的语法……"

"活的语法不是指那些早已过时不用或者不常用的语法，而是常用的语法。不用分什么介词呀及物动词之类的，而是在不知不觉中就能掌握语法。"

"譬如，在TOEIC的语法试题中，最令人头疼的恐怕就是改错题了。掌握了这种能力，做这种题就肯定没问题了。因为'语法上口'了，只要读一遍就能得出准确答案了。"

"'语法上口'了，读一遍便…… 这个我有点理解不了。这是为什么呢？"

"这个，我只能告诉你事实上就是如此，没法告诉你是为什么。这好比刚开始学一项运动项目的时候，动作会显得很笨拙，后来通过不断的训练，不知不觉中动作就会变得非常熟练。这两者其实是大同小异的，这么说应该明白是什么意思了吧？"

"……。"

"你就坚持下去吧。会像第一阶段和第二阶段那样发生奇迹的。只要结束第三阶段，TOEIC 1级就不在话下了。"

☆ 舌根发痒的阶段

在这个阶段发生的奇怪现象就是"舌根发痒"，也就是说，总想用英语说话，甚至到处寻找有没有美国人，或者干

脆主动创造机会去接触美国人。

参加直接由美国人辅导的高级会话班也不错。只是由于通常情况下那里的学生大多是韩式发音者，所以不能说是最佳选择。如果能够遇到除了自己以外，周围的所有人都是美国人的聚会，那才是最好的练习场所。

如果没有合适的练习机会，可以培养自己在走路或坐地铁时，把头脑中各种各样的想法试着用英语来表达的习惯。

例如，"站在门旁边的那个女人的脸盘太大了，她的外号是不是大脸盘呢……""今天太乏了，站着实在太累。坐在我前面的这位大叔，要是到下站下车该多好呢？"等等。你可以这样试着用英语来表达这种平常的所见所闻。这对于真正掌握英语，有非常大的帮助。

选择例句较多的词典！

“应该选择什么样的英英词典？”

“各种英英词典也都不一样。一般来讲，一些有名的出版社出版的词典比较理想。如果例句再多一点，那就更好了。如果还解释了各种情况下的用法那是再好不过的了。”

“我有点理解不了。那到底是什么样的？”

“让我来给你解释一下。假设查‘明智’这个单词，大部分的词典只是简单地解释这个单词的含义而已。譬如，‘懂事理，有远见’等。但注释详尽的词典把这个单词解释为‘遇到问题或困难时，合理周到、有远见地使事情得以解决’。这样的词典肯定会有的。我给你找一下，找到了再告诉你。”

“那太好了，太谢谢你了！”

　　"还有一点需要注意的是千万不能用小词典。就是那种只有简单的解释和一个例句的便携式词典或陈旧的词典。详细的说明和例句是词典的根本，所以连这个都没做到的词典还是尽早丢到垃圾箱为好。"

　　"还有，在这个阶段也同样要放弃背诵的想法吗？"

　　"那当然。你试试就知道了。只是大声朗读也能记住很多东西，而且这与背诵后的短暂记忆是不同的。"

　　"有什么区别呢？"

　　"嗯。怎么说呢，是一种语言上收放自如的状态。虽然不能完全记住词典上的所有内容，但一旦有机会就能脱口而出。"

　　"我想只要结束这个阶段，我就会对英语更加信心倍增。首先，能听懂，再加上有说英语的欲望，单词量也不比谁差……啊，简直像做梦一样。"

　　"梦，只有你努力，它才会变为现实。与别的梦相比，学好英语的梦，并不是太遥远。10余年的年轻时光中，只要拿出 6 个月到 1 年的时间，每天清晨或晚上练习 90 分钟到 2 小时，就能实现这个简简单单的梦想。"

　　"到目前为止，你为英语投入了多少时间？初中到高中 6 年加上大学 2 年的话是 8 年，再加上这次投入的 3 个月，一共是 8 年零 3 个月。那么等于在这么长的时间内，你大脑中的某一个角落租给英语了，是吧？但结果呢？说太惨吧，好像有点过分，但学好英语已经成为很难实现的梦想。可现在竟然说，6 个月到 1 年的时间就能实现它，你是不是会觉得难以置信呢？"

"听到这些，心里真有气。英语教育已经经历了那么多年，肯定也知道存在问题，为什么没有改正呢。"

"教育部门不正是罪魁祸首嘛！教育政策到底怎样朝令夕改，到底有多不像话，从大学入学考试的变化就可以窥斑见豹了。平等地接受教育是要有一定限度的，根据能力来因材施教才是合情合理的。但咱们国家的教育政策决策者们只重视什么身体发育呀，减少课外负担呀，却从根本上无视这个最基本的原则，频繁地变更高考制度，使那些家长和师生每年光适应这些应试制度都适应不过来。"

"就是为了解恨也要好好学英语。谢谢您了。您给了我重新学好英语的信心。"

"机会还是你自己创造的。我只是引导你走捷径而已。希望你能坚持完这个阶段，给我教你下一阶段的机会。我的目标是完全改变咱们国家英语水平低下的状况。哈哈哈……"

从倒数第1名到第1名

咱们国家的人往往到第三个阶段，才觉得有些放心。因为第三阶段的查单词、写单词、朗读的过程与过去的学习方法十分相似。但从此开始不按照我说的方法去做的可能性也最大。

例如，不接连不断地查词典而直接跳到下一个单词，不大声朗读而只是默读或小声地朗读，采用背诵的方式学习等等，总之，总是按照自己的意愿对我的方式加以改变。这样做的话，与"学"英语是完全一样的，所以，也许心里觉得很有成就感，但是不能有其他的任何收获。

这个阶段是掌握不用词典也能流畅地阅读英文文章的能力的必经之路。在这个阶段需要的是基本的词汇量和对句式的熟练掌握。

到这个阶段已经可以认识到语言就是习惯。看看词典对词语的解释，不难看出句子都是以极为相似的格式组成的。等你能够自由自在地看美国电视台的电视剧或电影时，就可了解到他们常用的句式，其实就那么几种。日常语言就是以那些惯用句子组成的。从领悟到这一点开始你就有了英语张嘴就来的感觉。这就是所谓的"舌根发痒"的初始阶段。

这种现象说明学外语的最大障碍之一，即"陌生感"将逐渐消失。下面的例子中提到的那个大企业的语言进修院里所发生的令人惊异的事，与这不无关系。

有一个人对英语一窍不通，别说语法，连最基本的发音他也不会。在每周末进行的例行考试中，他的成绩一直属于最差的那几个。但不知从什么时候开始，他每到下午的讨论课就非常积极踊跃地发言。结果，他作为进步最显著的学生代表被安排在结业典礼上发言。大家原以为他肯定会事先用英语把发言稿写好，到那天拿去念。可到结业式那天，他竟然做了10多分钟的即兴发言，内容也非常精彩。他说，他只是每天晚上再听一遍录有当天所学内容的磁带，不知从什么时候开始话匣子突然就被打开了。

☆ 话匣子被打开是什么意思啊？

"话匣子被打开"的意思就是大脑中已经形成了语言的逻辑体系。这种体系是当语言的熟练程度达到一定的境界时自动产生的。如果您还是不理解这究竟是什么意思，可以想一下汉语。汉字属于表意文字，所以每一个字都要记住。但，中国有很多人不识字汉语不是一样说得很好吗？你还可以想想

人类的发展过程。很久以前，根本没有任何形式的文字，但那时候的人也都能相互沟通。这种现象说明人的大脑可自动形成语言体系。

但是我国人一直无视这个问题。就算偶尔听到笔者说的这种话，他们也只不过是当时认可，不久还会回到他们从学生时代就一直沿用的传统的学习方法。他们当时也许会说："对，对，小孩子们还真是那样。"但实际上还是不按照这个方法去做，也许是根本没法做到。

首先，缺乏尝试新方法的勇气，还缺乏坚持到底的韧性和毅力。这也许是受我国"快点快点"文化影响所致。这种文化已经深深扎根在人们的生活中，并且产生了很多的不良影响，尽管如此，目前还从来没讨论过怎样才能消除这些不良影响。

从事教育工作的人明明都知道"学习"外语从根本上就是错误的，但对如何解决这一问题大家却都持消极态度。

也许这种"自我领会"的方式不太适合于当今时代的人。这代人从小要什么有什么，初、高中时就聘请家教或者上各种各样的课外补习班，教什么就被动地学什么，不加思索地从4个答案中选出一个正确答案。现在要求他们改用靠顽强的毅力攻克难关而逐渐达到目标的方式，也许是不现实的（也许正因为如此，很多人虽然TOEIC成绩达到900分左右，关键时刻却无法进行有效的阅读和表述——作者注）。

☆ 最优秀的弟子终于过了TOEIC 1级

K终于过了TOEIC 1级，成绩高达925分。这个高分即使对于曾在美国生活较长时间的人来讲也是极为不容易的。

"这次考试时感觉和以前不一样。答题时我能准确的感觉到'这道题肯定没错'，'这道题是我瞎猜的'，而这在以前是不可能的。Listening方面的题，我也都对我写的答案极其自信。这真是太神了！"

"几乎没有什么看不懂的单词。答完所有的题，还剩了5分钟。可在以前几乎每次考试时，都因为时间不够，最后几

千万别学英语

·92·

道题只能瞎猜。哈哈"

"舌根发痒的感觉？好像没有……不过确实总想跟美国人说些什么似的。"

"好。真的很好。那么，有没有想过下一步需要做什么呢？"

"我到现在不是一直在听TOEIC磁带吗。所以，恐怕实际对话能力会很差。见到美国客人时，打招呼可能没问题，但对一起吃饭喝茶时开玩笑或聊天就没有多大信心了。"

"所以，我想听一盘会话磁带。选择一盘中级或高级的磁带，从第一阶段做到第三阶段，那样的话就应该没问题了。"

"还有一个更好的方法。那就是不仅是局限于对话，而是把他们的形体语言、表情、连同他们的文化都能熟练掌握的方法。这就是第四阶段的内容，它将比迄今为止的所有阶段都有意思得多。"

"是吗？那么，您快告诉我吧。"

"那你可得先请客啊。从现在开始，每教一个阶段，你都得请我吃顿饭。你不愿意就算了……"

"不，不，不，哪能不愿意呢！"

自从步入社会以后，不论和谁一起去吃饭，感觉总不是特别开心。因为总是为了公事或者带有一定的功利色彩，经常吃完了也不知道吃的是什么。市场附近的饭馆也就罢了，即使有环境幽雅的好去处，也经常因为同去的人们与周围的氛围不协调而提不起兴致。所以，和她共进晚餐我反而觉得格外开心。不仅仅是因为她今天看起来特别美丽，更重要的是她终于使我看到了自己的"诀窍"结出的果实。

牢记诀窍之三

1. 追根究底地查词典

在本阶段重要的是多查词典。不仅是完全不懂的单词要查，似懂非懂的单词或虽然明白什么意思、但不清楚在句中的具体用法的单词（例如，term）也要查。

例Liquor: In American English, alcoholic drink such as whisky, vodka, and gin can be <u>referred</u> to as liquor. The British <u>term</u> is <u>spirits</u>.

The room was filled with cases of liquor. a liquor store. <u>Intoxicating</u> liquors.

查完记下来后，把不懂的单词一一标出来，然后按先后顺序再查一遍。

· 95 ·

Refer: refers, referring, referred
① If you refer to a <u>particular</u> subject or person. You talk about them or <u>mention</u> them. In his speech, he referred to a recent trip to Canada.
② If you refer to someone or something as a particular thing, you use a particular word, <u>expression</u>, or name to mention or <u>describe</u> them.

Term: terms, terming, termed

If you talk about something in terms of something or in particular terms, you are <u>specifying</u> which aspect of it you are discussing or from what point of view you are considering it. Paris has played a <u>dominant</u> role in France, not just in political terms but also in economic power.

这样的话，就可以发现重复出现的单词和句子，上述例子中particular和由if从句开始的句子就是如此。

刚开始时，也许看英文解释非常陌生，根本看不进去，但随着重复的单词和句子越来越多，总有一天你会突然发觉什么都能理解了。没有亲身经历的人，很难相信会发生这种现象。但重要的是，笔者所说的是事实。

选择什么样的英英词典也是一个重要的问题。虽然市面上的大部分英英词典都还可以用，但最好还是选择像上面提到的有例子的词典（Collins Cobuild English Dictionary——作者注），即根据各种情景一一举例说明的词典。

由于此类词典不单单解释单词本身，而且对各种用法也一一举例做了说明，所以可以作为造句练习的很好素材，可谓一举两得。

如果从某一天开始觉得单词解释中出现的单词都已查过一遍的话，那么基本上就可以结束本阶段，开始下一阶段了。

大多数人到了这种程度以后，只要继续大声朗读，头脑中就能马上非常清晰地浮现出相应的英文解释了。

2. 注意事项

在这一阶段，人们心里最担心的是，这样做下去可能连一个单词也没法真正掌握。

在没有真正掌握一个单词的情况下，还要不停地查词典、记录、大声朗读，稍有怀疑也是无可厚非的。那让我们再回头看看这一诀窍的原理吧。

这与小孩从开始接触语言到熟练掌握语言，在方法和原则上应该是相同的。就是不管懂不懂，接触到什么就接收什么，之后在不知不觉间就能领会了。但对很多人来说，想放

弃这种方法的念头会日益强烈，因为都知道只要打开英韩词典，难题就会迎刃而解。

但如果这样做的话，你就永远都不能摆脱英语-韩国语-英语的恶性机械循环。而且，这种方法与本诀窍比起来，在效率上肯定无法相提并论，因为靠这种方法，只能了解一个英语单词的意思。因而即使需要较长的时间，也绝不能放弃使用英英词典。

因为通过这种方法，需要记满一个笔记本也好，需要花费两三个月的时间也好，反正总有一天你不仅能了解单词的含义，而且连书面语体的句子形式也能熟练掌握了。这样的话，语法也能在不知不觉中领会，因为语法就是约定俗成的造句的规则，句子熟悉了，语法自然就能掌握了。

☆ 显著的变化

完成第三阶段，人们将感觉到无需再查词典了，因为已经具备了丰富的词汇。同时对每个词汇的用法也轻车熟路，所以，也就等于掌握了句子的组织和构思能力。总之，如果通过英英词典掌握词汇，就能自然而然地掌握英语。

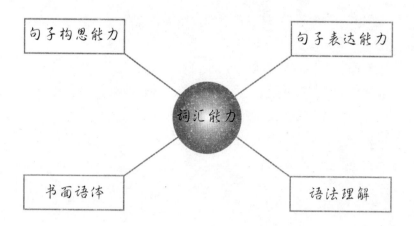

征服第四阶段：
自我领悟　无典自通

第四阶段的四个要领

第一，准备1盘录像带。

第二，带上耳机，每天看1遍。

第三，能够完全听清之后，便开始听写、朗读。

第四，将不清楚的单词，利用英英词典查找并朗读。

录音机（audio）与录像机（video）的结合

 ## 第四阶段的四个要领

第一，准备 1 盘录像带。

第二，带上耳机，每天看 1 遍。

第三，能够完全听清之后，便开始听写和朗读
　　　练习。

第四，将不清楚的单词，利用英英词典查找并
　　　朗读。

· 103 ·

　　"在第四阶段，要结合录音机与录像机。因为 K 已经具备
了结合这两个媒体的能力。"

　　"哇，一定好玩儿多了吧。"

"你有录像机吗？"

"当然了，我早料到要用了，所以已经准备好了。"

"如果有耳机的话，那就更好了……"

"有，就是要戴着耳机看画面啊。"

"那当然，来，首先准备一盘录像带。"

"选择什么样的录像带呢？选一盘英语教学带可以吗？"

"可以倒是可以，但最好是电影带。要挑选没有字幕的。"

"哪有没有字幕的电影带呀？"

"实在没有也可以把字幕部分挡住。或者如果电视有多声道功能的话，在播放名片剧场时，把它用英语录下来也可以……。你的电视有这种功能吗？"

"是啊，那不就行了吗。录什么电影都行吗？"

"哈哈哈，关键就在于此。《Die Hard》或《Rambo》等惊险或暴力电影好看倒是好看，但绝对没什么可学的。对了，能学会骂人。《Brave Heart》或《Queen Mago》也没什么可学的，因为这些都是古典剧，说话怪怪的，就像我国的历

·104·

史剧。那么，选什么样的比较好呢？首先，应该是当代的、对话多的、有文化背景的那种电影。"

"那么，《Out of Africa》这种怎么样？"

"那种倒是可以。但，时间上至少也要落后现代100年了，不是吗？还是《While you were sleeping》那种比较好吧，或者《When a man loves a woman》、《Sleepless in Seattle》等反映日常生活的那种电影。当然，《Nell》或者《Disclosure》等主题特殊一点的也不错。"

"肯定又是从中选择一盘，然后没完没了地听，是吧？"

"完全正确！但是不至于让人感觉没完没了吧？因为你很快就能听清了。然后，练习听写、朗读、再查词典、再朗读，也就是再重复整个过程。一盘带可能一个礼拜就能结束。然后，再找盘录像带来看，结束后再看下一个……"

"要这样坚持多久呀？"

"直到一听就能听清几乎全部的内容为止。从此以后就会觉得不用继续做听写练习了，因为都能听得清呀，而且也能理解是什么意思。只需查几个不常用的单词，就几乎能100%的理解。这时候，就可以结束第四阶段了。"

☆ 像鱼儿一样鲜活的英语

"那么，您是说，通过这个过程就能了解文化及日常行为等等吗？"

"当然了。事实上人们在日常生活中没人像书中写的那样对话。电影里的台词是最自然最接近现实生活的语言。例如，电影里就没有像'How are you?''I'm fine. thank you. And you?'这样的话。"

"那他们是怎么说的呢？"

"有各种各样的版本。例如，'How's it going? Excellent. How about you? Is your wife home again?'等等。"

"听您这么一说，还真是这样。"

"是啊，能掌握活蹦乱跳的、生动的英语，肯定会令人感慨万千的。"

"那种感觉真是美极了。不用到国外也能了解他们的文化，这是一种多么难得的收获。我们在电影院看外国电影时总要忙于看字幕，这不是在感觉文化，最多不过是能理解故事情节而已。所以，大多数人尽管看了很多好莱坞影片，还是不能理解美国文化。

"譬如，在美国男女之间交朋友就和我们不一样。他们是由男方郑重地请对方吃一顿晚饭，吃完饭就把女方送回家，然后女方引诱男方说，'进去喝杯茶再走吧'，然后那一夜两个人就在一起度过了，之后就开始正式的恋爱了，这是许许多多影片中的片段。但还是有很多人非得你一一告诉他是怎么回事后，才恍然大悟地说，'听你这么一讲还真是这样！'"

"他们在现实生活中也这样吗？"

"你才感觉到吗？所以说，通过字幕看电影，现实感自然会大打折扣。而且最近上映的电影的字幕内容过于趋向意译化，与现实的距离更大。竟然还有'倒胃口'、'帅呆了'等完全本国式的语言。"

"但是，如果直接看英文版电影的话，会不会受到美国文化的影响，而有被他们同化的危险呀？"

"危险？你用的是危险这个词，对吗？嗯，你言之过重了。只是有那种可能而已嘛。你认为危险是不是意味着你比较畏惧那种生活方式呢？"

"是啊，我也不知道为什么。也许您以前提到的国粹主义

·107·

已深深地扎根在我身上了吧。"

"有可能两者兼有。这种想法其实是以对咱们国家文化的轻视为基础的。你知道吗？还有，人们在觉得咱们国家的文化相对于他们的文化低一个层次的前提下，才会有一种被它取代的危机感。"

学英语之前首先要学会做人。

要掌握一个国家的语言，必须首先了解这个国家的文化。单凭对克林顿、比尔·盖茨、自由女神像、金门桥等美国象征的理解是无法真正理解与英语水乳交融的现实生活的。即使是了解一点稍微详细的信息，对英语能力的提高也不会起到很大的作用，有时候还会适得其反。

我第一次去美国时，接待我的是一位旅游社的导游。他在美国生活了已近20年，但还是把美国的文化，完全按韩国社会规范来诠释。

由于美国的性文化是开放的，男女关系比较随意，所以导致离婚率很高。单亲家庭也越来越多，青少年问题已经成为社会问题，而且种族歧视问题也尚未得到解决。"美国其实就是一条身患重病的大恐龙"，这就是这位导游对美国的总体

评价。他一再强调韩国如何好，他还说，要不是在上一次 LA
（洛杉机）暴乱中自己的店遭受损失的话，他早就回国了，云
云。最后还嘱咐我一定要热爱祖国，听了他的这番话，我不
禁感到心中掠过一丝凉意。如果以这样的病态和民族主义或者
说国粹主义的视角去看待其他国家的文化的话，我是无言以对
的。就生活在这个国家的人都是如此说法，在韩国看再好的
影片又有什么用呢。

　　想真正理解一个国家和民族，应该在学语言之前就具备能
够接受别人与自身的差异的、丰富的人生阅历。这样才不至于
被一些花边新闻或病态的民族主义者散布的错误信息所左右。

　　实际上我们真正需要了解的是美国人早晨醒来时嘴里嘟
哝的是什么，上班时和同事说些什么，开的是什么内容的会

他们究竟在哪里吃盒饭呢？

盒饭

议，午餐是吃盒饭、出去吃，还是去公司食堂吃等生活细节。通过这些生活细节可以了解到他们的生活片段。当你知道他们在生活中的很多方面与我们的思维方式和行动举止几乎没什么两样这一点时，你就等于已经成功了一半。

当你了解到在发达国家，晚上没人时也有人闯红灯，男女之间第一次见面时也和我们一样尴尬和紧张，父母对子女的期望同样很高，还有都市中的 dilettante（半调子）文化以及农村邻里之间的浓厚的人情味等等，都和我们大同小异，也就是说，他们和我们在本质上并没有什么不同，只不过是他们采取了一种更直接、更率真的生活方式而已。

性开放问题也是如此。咱们国家虽然离婚率较低、性犯罪也相对少一些，表面上好像有很多健全的家庭，但是据最近一个女性团体的报道，我国都市男性的婚外恋现象并不亚于发达国家。

与其寻找婚外恋情，还不如像他们一样，在同居一段时间后，觉得不合适就直接告诉对方说，"我心中对你已经没有了爱，所以我要去找别人"。这种方式和我国人自欺欺人地、违心地一起过后半辈子的现状相比，也可以说是追求人生幸福的明智之举吧。

总之，随着对文化理解加深，你的英语水平也将不断提高。当你看美国影片时感情能很自然地投入的话，那么你就可以结束第四阶段了。

看电影理解文化

　　通过看电影了解作为电影背景的那个国家的文化实际上
并不是件容易的事。因为人们往往会只注重影片的故事情节
而忽视了别的。而且融入于各个场面的日常生活内容大部分
处理得非常自然，如果不是特别有意思的场面是很难记住的。
例如，在洗漱间，儿子在刷牙，爸爸在身后照着镜子刮胡子
的场面等等。

·111·

　　人们也许记不住电影名，但那种温馨的感觉却会萦绕在
人们心中的。还有，一男一女闪电般的做爱后马上带上眼镜
继续工作的场面、解雇职员时的言行、审问的场面等等也深
深地留在了人们的记忆中。

　　而实际上，正是这些场面为我们展现了异域文化的一个
侧面。爸爸和儿子在洗漱间的场面反映亲密无间的父子关系。
相处已久的恋人闪电般的做爱后继续工作的场面告诉人们日
常化、普遍化的性文化。但是在看电影时这些都没必要在头
脑中一一整理，因为这种整理会自动完成……。

　　反复看同样的录影带，非常平凡的镜头也会渐渐地引起

你的注意。诸如床是摆在屋子中央位置的，床的两旁有台灯和床头柜，电话放在床头的左侧，半夜打来的电话一般都是女士接，厨房的操作台不是朝向墙壁而是朝向餐桌方向的，以便于可以与其他家族成员面对面地一边聊天一边做饭等等。

再接下来能引起注意的将是人们在室内也穿着鞋来回走（韩国人习惯在下面辅有火炕的房间地面上，在室内一般不穿鞋），在家中也不会随随便便地穿运动装、睡衣等便装，参加聚会或晚宴前洗发淋浴、刮胡子等再次装扮一番的场面。电影中孩子们在游乐场玩耍时，妈妈就坐在旁边的长椅上一边看着书一边照看着孩子们以防发生意外，要注意到这样的情节则需要一定的时间，但到那时，你就会很自然地把这点点滴滴和美国文化联系在一起了。

☆ Love story 的冲击

使我深刻感受到美国文化冲击的，是《Love story》这部电影。看那部电影的那段日子里我正在经历着那种令人激动的约会。

Oliver（奥里弗）和Jennie（珍妮）从相遇到后来成为恋人的过程，与我的经历基本相同，于是很自然地使我产生了共鸣。但是从他们睡在一起的场面开始，他们和我的经历便开始脱轨了。

"噢，他们怎么能毫无顾虑地一起睡觉！"

据当时我国大学文化的是非评价标准来看，如果一起睡觉了，理所当然地要由男的负责。方法只有一个，那就是结婚。如果男的不负责，女的将成为恋情悲剧的主人公，男的将成为天下的坏蛋，受到周围的人谴责，从而只能是自己也变得不幸。大学生尚有这样的认识，老百姓对此类事情的认识当然会更严重得多。

另一部使我对美国文化的理解大大加深的电影是《军官和绅士》。在这部影片里，在为能成为长官而接受训练的军校学生们的周末聚会上，有许多村里的姑娘们。小伙子们和姑

娘们在聚会中相识，并在训练期间一直拍拖，这些事令有过同样训练经历的我非常惊讶。

3个月的预备军官训练，我当了3个月的乞丐。聚会？别提了。不过在最后一个月里有过一次外出经历而已。回来后为了洗去溅在身上的咖啡，又受了一夜的罪。

我真正理解美国百姓的生活经历了较长时间。如果没有在德国的留学生活经历，可能还会需要更长的时间。我能够理解美国人的生活完全要归功于我看的原版英文电影。听懂他们的台词后，我才真正感悟到，有关人生哲学或人生观的内容，单凭通过字幕传达的信息和演员们的行为是无法了解的。

他们并不是"随随便便"地就在一起做爱，他们也有在继承历史和传统的过程中所形成的行为规范。通过美国电影我可以体会到，虽然他们没有浓厚的血缘、地缘情怀，也有邻里之情、同事之谊；父母和子女之间虽然不像咱们这样，但为了把孩子陪养得更加成熟，父母们也出于教育的目的而刻意使孩子们保有独立的空间；虽然恋人间聚散频繁，但是通过对人生的深刻思索，通常即使分手以后也能互相以朋友相待。

看到这里，肯定有人会想说："听说美国电影为了引起外国人对美国的好感，美化了自身的现实生活，您是不是上了他们的当？"

在这里我想说一句可能没有丝毫意义的话。美国并不是像咱们国家这样别人说怎样做就不假思索地照着做的单纯的国家，在其内部混杂着各种各样的价值观、哲学和种族，并且以此为最大资本。从事电影业的人，绝对不可能按照别人的说法去做事，他们只是拍自己认为能够赢得票房的电影而已。

看电视也有讲究

在第四阶段能作为练习素材的还有AFKN(专为驻韩美军播放的电视频道)或STAR TV播放的电视系列剧。因为这些剧中主人公一样，而且反复出现类似的情节，所以看几部录影带后，再看电视系列剧就能收到更加良好的学习效果。当然，比起动作片和惊险片来，还是“The Waltons”等家庭剧更合适。

因为这类电视剧中会出现各年龄段的人物，而且有丰富的日常生活片段和故事。片中有些情节和自己家庭的情形差不多，当然也有些情节自己从未经历过。看这类电视剧还能学会解决一些事情的方法，这不能不说是一举多得的好事。从这方面来说，看电视剧应该比看电影的效果还要好，也更有利于学日常生活用语。看电视剧的缺点是稍微有一点令人厌倦。

在这个阶段，也许有人会这么想：“每天听CNN新闻节目，听到的都是最新的英语，岂不是一种最好的方法？再加上会有很多时事论点，对词汇量的扩大也很有裨益。”

这话不无道理。但同时也有其局限性。因为如果对新闻报导风格太熟悉的话，有可能在平常说话时也会带上新闻主持人或采访记者的那种语调。还有一个缺点是，由于新闻内容主要是由比较简短的语句构成的，只听新闻节目恐怕不能锻炼造长句的能力。

我们的目标是要使自己具备能把自己的意思不间断地描述至少一分钟以上的能力。锻炼这一能力的最好的方法是看Talk Show、专家访谈等谈话类节目。首先从Oprah Winfrey或David Letterman的谈话节目开始，等有了一定的基础后再向正规讨论节目挑战。

讨论节目最有利于学习"比较有水平"的谈话方式，如果自己学英语的目的在于这方面的话，也可以一开始就不看录影带而直接看讨论节目。但它的缺点也是太枯燥无味。还有一种既有意思，还能掌握有品位的谈话能力的方法，就是选择所谓的"法制电影"或"法制电视剧"。律师、侦探或刑警通过逻辑分析和推理说出来的话是非常具有学习价值的。如果你能熟练地掌握这种方式，那么恐怕一般的美国人也会对你赞叹不已。

· 117 ·

☆ 在德韩国留学生写博士论文的方式

事实上，一般性的认识原理，即如果掌握高层次内容的

话，低层次内容就能自然而然地掌握的道理同样适用于英语学习。也就是说，如果一开始就成功地解决比较难的问题的话，那么以后比较容易的问题将会被自然而然地掌握。我在德国留学的初期，接触的就是"高级德语"。由于是高级德语是适合讲课和讨论的语言，所以与日常对话的差别比较大。但达到一定的水平以后，我发现很容易就能听懂周围人的日常对话。与之相反，在只掌握低层次内容的情况下，是不可能自然地领悟高层次内容的。

在德国，采用我国的学习方法学德语的人的共同特点是会话还可以，但高级德语却相当地糟糕。在德国，留学生所学的语言课程的难易程度相当于普通中学毕业水平，所以留学生学得最好的也不过是这个水平，一般都要低于这个水平。

也许正是因为这种原因，在德国的韩国留学生大都有一个帮自己修改论文的德国朋友。初稿由自己写，然后经德国朋友修改后提交。大家对这种方式都觉得很自然。当然这么做的话，论文本身会很德国化，但最后论文答辩还是要靠本人，其实这是个很冒险的方法，但大家都认为这是获得博士学位的传统方式，似乎并不为此担心。

再说，帮忙修改论文的德国朋友也是同专业的，所以确切地说，修改以后就不能说完全是自己的论文了。后来，我担心的事还真地发生过。在博士论文的最后答辩中落榜的人越来越多。论文答辩是检查论文是不是确为自己所写的关键，如果答辩得不好，论文写得再好，也要受到怀疑。如果不能很好地回答提问，审查论文的教授们将以德国人特有的固执，刨根问底，往往到了这种地步，结果就无可挽回了。越是这样越紧张，越紧张就越听不懂教授的提问，最后汗流夹背，昏昏然不知如何作答而折戟沉沙。还有，我们的留学生们往往是事先背好可能提问的问题及其答案，所以，只要提问形式稍加改动，他们就束手无策了。

这样的事已成为人们谈论的话柄，但我国在德国的留学生们还在固执地使用这种方法，这种现状着实令人担忧。因为如果在答辩中落榜的话，需要更换主题，重新写论文。也就是说，以前都前功尽弃，等于要从头开始留学生活。

☆ 英语的自动储存能力

在第四阶段，会发生一种非常有趣的现象。这种现象是自己的英语水平根据对方的英语水平或方式的变化而变化。对方是快人快语的人，自己的说话速度也变快；而对方是一字一句，慢声慢语的人，自己说话也会自然而然地吐字清晰。当你达到这种水平时，你就具备了能够自动储存语言的能力了。

事实上，被自动储存的不只是语气，单词、句式也将会一起储存进你的大脑里。你所见到的、听到的几乎所有的英语都将进入你的脑海里。在你意识到"啊，在这种情况下应该这么说"的瞬间，对方的话就已经被原原本本储存在你的

· 119 ·

记忆中了，这绝对不是什么无法实现的幻想。

我们也可以把这种现象叫做"语言习惯转移"，它在韩国语中也时有发生。例如，如果办公室里有一个说话很幽默的人，大家都会渐渐被他的语调感染。

从"听不懂"到"被感动"

过了一个多月，K又来找我。看她满面笑容的样子，我已经猜到她肯定有进步了。

"您好？还好吧？最近忙些什么呢？"

她连声问侯，好像很高兴见到我。

"怎么样？You的英语？进步很大吧？"

"别提了。进步实在太大，我都控制不住了。"

她说，她选择的第一盘录影带是《While you were
sleeping》。

"让我听听你的感想。"

"真的好神奇。开始的时候几乎一点都听不懂。他们的说话速度太快，吐字又不清，所以常常觉得无可适从。女的说话还可以，男的说话就不太清楚了。好像咱们韩国人也是女的发音比较准确。"

"跟听磁带完全不一样，说话人的形象、语气还有各种场面都非常生动，那时才觉得真正接触到了'栩栩如生'的英语。后来，只看画面就能想起台词。有的台词到现在还记忆

犹新，当然场面也记着。"

"在电影院看这部电影的时候，我并没有受感动。以为只不过是'普通的好莱坞式大团圆结局的家庭剧'。但第一次看英文版时，我感动得鼻子都酸了，差点掉眼泪……。后来，看第二遍、第三遍后，"发现自己逐渐成了主人公，甚至表情也在跟着变化。Sandra Bullock 的表情真地很可爱啊！"

☆ YOU 这个词我以前真的懂了吗？

"在文化方面，你有没有什么感想？"

"啊，我还真地很有感触呢。其实，过去我连 You 这个词也不怎么了解。怎么说呢，开始的时候不习惯无论对大人、小孩都用 You，但现在这种感觉好像已经完全没有了。从 Sandra 的语气中我逐渐感觉到他们是通过语气和态度来表达对对方的尊敬的。"

"与素来未曾谋面的未婚妻相认的氛围让人感觉很好，职业和生活水准不同也没有关系这一点着实让人羡慕。您有何感受？您也看过这部电影吧？"

"嗯。在那部电影里我印象最深的是女主人公温柔地拥抱有点缺心眼的邻居小伙子的场面。看那个场面的时候，我心想，是不是对于心爱的人就要用胸怀拥抱，而对于可怜的人只是抱住他的头……在这部电影里主人公最终还是屈服于现实的力量。当然这类情形在好莱坞电影中到处可见，这也是美国的传统文化。美国是个如果说的话被证实是谎言，连总统也要让出宝座的国家嘛。这样一个哥哥和弟弟都与同一个女人有瓜葛的故事，在《The legend of fall》中也有。只不过在这部电影里觉得格外温暖，而在《The legend of fall》中是非常凄凉的……这些事情在我们所在的文化圈里并不多见，所以至今还记得。"

"男主人公的家庭给人印象也很深刻。它让我了解到美国也有几世同堂的大家族。"

"虽然这种家庭为数不多，但还是有的吧。过单身生活的女主人公和一家几代生活在一起的男主人公的家庭是这部电影的主要背景。虽然女主人公自己的单身生活过得也不错，但总是摆脱不了孤独。一次偶然的机会，她走进了一个男人温暖的家庭。然而为了不失去这份温暖，她一直隐藏事实，所以事情向意外的方向发展……故事情节是很棒的。但我倒是对这部电影所表现的那些与咱们社会不同的方面更有感触。"

"都是哪些方面呢？"

"咱们国家的人对西方文化中的'个人主义'一向持否定的态度。'由于个人主义过于蔓延，比起集体来，个人的价值被过度地抬高'，这是我们最普遍的认识，但是我总觉得这种认识好像有些偏颇。在这部电影里，男主人公的家人们虽然都住在一起，但他们几乎从不干涉兄弟两人的生活。还有，对女主人公的职业和家庭状况，男方家庭也并不计较，这些都

是由于个人主义倾向的缘故。但是在很多方面也能体现出人
与人之间的关爱。女主人公与公司同事之间的关系、家族成
员之间的亲情、护士小姐的关怀等等这些都是无法用'个人
主义'四个字所能解释的。影片最后，看到大家一起庆贺不
看重对方的条件而彼此相爱的男女主人公喜结连理的场面，
不禁使人觉得尊重别人的选择并真诚地为他们祝福才是通向
幸福的途径。"

"'个人主义'就是对每个人的尊重，它的前提是以人的
尊严为基础，而在我国还是把集团或组织的利益置于个人利
益之上的，也就是说，在我国，还不具备民主主义的基础。"

"如果这部电影里的故事就发生在咱们国家的话，那位女
主人公肯定在医院就会受到男方家人的侮辱；不通知家里人
就和别人订婚的事情本身也会引起家人的强烈愤慨，还会被
认为是一个随随便便的放荡女孩…… 下面的故事就很显然
了。在这个男人醒来之前，一切都结束了，留给他的只有一
团迷雾，"有个女孩说是她救了你，还说是你的未婚妻，然后
就走了。"

☆ 韩国的女孩比男孩懂事早

"是啊，也许真会这样吧。如果把这部电影的故事原封不
动地搬到韩国的话，很多情况是根本不可能发生的。前面内

容也一样，嗯…… 是啊，好多部分根本不可能有的。越想越觉得怪怪的，甚至让人有些不寒而栗……"

"但当你看电影时感情还是很投入啊。这是为什么呢？"

"就是啊，我也不知道。""是不是故事情节的发展和潜在的欲望使然呢？虽然这在咱们国家是不可能的，但由于是人心所向的事情，所以才觉得有意思。咱们国家的年轻人最大的愿望之一，可能就是从父母那里获得‘独立’。每个年轻人都希望能够自由自在地恋爱，并且只要两个人真心相爱就能结婚。如果在咱们国家也能这样那该多好啊。怀着这样的想法去看电影，自然而然的就会投入到电影中去了。"

"独立嘛……我现在等于是独立，但并没有觉得有多好。"

"严格地说，你的情况只能属于50%的独立。你在经济上可能是独立的，但由于你在宿舍生活，所以并没有正式成为社会中的独立个体。如果你自己租房住就不同了。马上会出现与主人的关系问题、支付各种公共费用的问题、自理生活的问题，可能还会出现追求你的小伙子……等等。但是问题的关键在于精神上能不能真正地独立。在咱们韩国除了孤儿以外，还有谁能自己决定自己的婚事呢？当然，最近也出现了自己订婚旅行的现象，但不也是对父母保密吗？"

"您的意思是说，应该主张‘我的人生应该由自己把握’吗？"

"首先应该是父母树立‘你们的人生是你们自己的’的态度。但事情并不那么简单。在咱们国家越是按部就班接受正规教育的年轻人，懂事越晚。也就是说，他们在精神上不具

备独立的个体所应具备的成熟度。最近，连广播或 TV 主持人的语调中也带有撒娇的成份。从这一点上看，始于第五共和国的教育制度改革，对降低全体国民的精神年龄，立下了"赫赫战功"。想想我们周围有多少实际年龄是 30 几岁，而思想水平只有 10 来岁的人？"

听着我这番话，她一直在点着头。听过我这些话的大部分女孩都有同感。男孩子当中偶尔有过反驳说"并不是那样"的人，但是到目前为止在女孩中还没出现过这种情况。

我想这也许是因为女孩当中懂事的人比较多，或女孩原本就是懂事的吧。

不管怎么说，我认为在重男轻女的社会风气特别浓重的韩国，女孩确实比男孩懂事更早。

英语朗朗上口

看着一边沉思一边喝咖啡的她，我突然想考考她。于是，我便用英语问她："你已经听完第二盘磁带了，是吗？"

她毫不犹豫地用英语回答说："对，昨天我刚刚听完了第二盘磁带。"

说完，她有点不好意思地"哎呀"一声，用手捂住嘴自己笑了起来。她的发音和语调几乎是完美的。

"了不起！你不愧为我的得意门生。"

"现在好像英语真的到嘴边了。其实刚才我还是第一次说……"

"是吗？那么现在开始咱们试着用英语聊天，怎么样？"

在这之后的大约3个多小时里，我们用英语天南海北地聊。她的发音和造句能力好像比我还好。和她侃大山的过程中，我看到她有很多恰到好处的形体动作和表情，这使我不禁想起Meg Ryan和Sandra Bullock。有些动作甚至逼真到了使我产生错觉的程度。

☆ 假如干脆从看录像带开始

　　"在第四阶段，我也曾想过要是干脆从看录像带开始会怎么样呢。"

　　"也许那是更符合孩子学说话的原理的做法。但是，从第一阶段就看录像带的话，还是有点问题。别的民族不敢说，至少对咱们韩国人来说是这样的。"

　　"有什么问题呢？"

　　"到现在我也没法理解，那样开头的人肯定会半途而废。据我观察，看录像之人似乎总是试图根据不停变换着的画面去推测整个故事的内容。这样的话，听到的英语就会像背景音乐，几乎听不进去，从而成了一种噪音。另外还有一个'伏

兵'会向你进攻。你知道它是什么吗？"

"……？"

"犯困。不是一般的犯困，而是那种根本无法抵挡的困意。我在德语很差时，听讲也总犯困，也试过狠掐自己的大腿等各种方法。当根本听不懂的语言，以极其规律和协调的音调飘入耳朵，难道还有比这更好的催眠曲吗？"

所以，就这样坚持几天以后，大部分人都想，开着录像机睡，还不如改用别的方法，然后就放弃了这一方法。

☆ 男子寡言的理由

"更严重的是，从那以后这些人完全凭猜测来听德语，明明看的是同样的新闻节目，叙述出来就变成与之毫不相干的话了。在课堂上这样是不行的。下课以后，那些听不懂作业是什么的学生几乎都是韩国人。"

"好像真是这样呢，看电影画面时对内容根本听不懂的人，不可避免地要单凭视觉信息去理解内容。这就是与孩子们的区别点吧。"

"可能孩子们也经历同样的过程。只是由于他们没有大人那样的智能，所以不能连贯整个内容而已。他们只是像用摄像机拍摄一样，把看到的和听到的储存到记忆中。智能达到一定的程度，就会自动把那些场面连接起来。譬如，当婴儿

听到妈妈"啊……"的声音时，就会意识到，'这个声音早晨听过，可能是喝牛奶时说的话'等等。"

"哈哈。真的会这样吗？"

"事实上是不是这样我也不知道。我是说，好像是这样。等你生孩子以后，好好观察观察。当你的孩子指着自己的饭碗说'饭饭，饭饭'时，你就会想起我的这些话的。"

"领悟能力。您曾说，人的大脑具有领悟能力，对语言也是同样适用的。我觉得如果父母之间的对话多，那么他们的孩子肯定比别的孩子在语言方面的能力强。所以，我觉得找对象也要找一个健谈的人。以前，我比较喜欢沉默寡言的男性，但现在我决定改变主意了。"

"哈哈，依我看，20岁到30岁的男性像女孩子想象的那样由于性格稳重而寡言的情况是极少数的，大部分都是因为脑腆或没有思想或者就是由于阅历太浅而没什么可说的，甚至是因为一见到女孩就胡思乱想。"

"真的吗？不至于吧？"

只有讨论才能说好外语

"你一定听说过散文家皮千得（韩国现代散文家）的名字吧。他的书中这样写到：'话题的贫乏意味着知识的贫乏、经验的贫乏、感情的贫乏。语言技巧的拙劣，其根源在于思维方式的混沌'。'沉默是准备语言的时间，是休息的时间，也是愚笨的人维持体面的时间。'"

"也许是这样。可是所谓大丈夫'沉默是金'，'言多必失'啊！"

"这话恐怕已不再适应如今的时代了。我国历史上，由于一语不慎而导致家破人亡的事并不罕见。不过如果是为了传播真理而落到这样的下场，只能说是那个时代的问题。进入现代社会，尤其是在维新时期，由于批判政府而举家遭到迫害的传闻相当多。从这些方面看，此话也有它一定的道理。但那都已是过去了。"

"昔日皮千得还说过，一个不善于言辞的人作领袖的国家一定是一个落后的国家。而苏格拉底、柏拉图、孔子之所以被尊为圣人，正是因为他们能用语言来传播他们的思想。肯

尼迪之所以为肯尼迪总统，亦是因为他具有高超的演说才能。可以说，今天我国这种由于历史失误的堆积而日趋混乱的现状，与我国历届总统中从未出现一位名垂青史的人物也许有必然的联系。"

"您的意思是说，我国语言教育领域一味地热衷读写而忽视口语表达，与此是一脉相承的？"

"可以这么说。事实上，在历届政府中，真正愿意虚心听取人民呼声的，一个也没有。表面上标榜着民主主义，而内心却摆脱不了专制和独裁思想的人，怎么会乐于见到善于言辞的国民。如果这样的人到了国外，问题岂不是更严重了？！

"在德国的时候，我曾见过驻德韩国使馆的参赞。听他代读由韩国大使用德文写成的欢迎辞时，连同样身为韩国人的我也听不明白。后来才知道，历届驻德大使，别说是德语，就连英语也不甚了了。碰到出席晚宴和招待会，大使所受到的待遇，竟还比不上身边的翻译，这样的情形已是屡见不鲜了。"

"天啊。那些人不是外交官吗？怎么可能会有这样的事？"

"这一切，正是对语言的偏见所造成的。至今为止，在我们国家，善于言辞的人还受着不公正待遇。'话倒说得漂亮'、'光说不做'、'话再动听又怎么样呢？'诸如此类对会说话之人的冷嘲热讽之声不绝于耳，相反，对不善言辞的后果人们却不置可否。"

有这样一种说法，"我们民族人人都太聪明了，所以不可能有所谓的'百家争鸣'的局面。"听说过吧？在我看来，这是一种误解。正确地说，不是因为人们太聪明，而是因为那些能把自己头脑中的想法条理清晰地表达出来的人实在太少的缘故。当然，过于强烈的自尊心作祟而不能容人的人要排除在外。

我不知道这是否有些夸大其词，但我们可以得出结论，我国这种无原则、缺少哲学土壤的现状，正是由于不能接受百家争鸣局面的这种恶习所造成的。讨论的目的在于寻求解决问题的方法。但在我国，人们却从不以事理、常识和逻辑

出发来对自己的意见做出整理和表述，而偏爱于作一些漫无边际的调侃。你知道这些人最常用的表达是什么吗？只是诸如"话虽不错，但那并不解决问题啊！"之类而已。

据说在检察厅的内部简报上登有这样一段话："进入 IMF 时代（韩国习惯用语，经济危机之义），应该根除监察厅内部喝炮弹酒（韩国人的一种喝酒习惯，通常将洋酒掺在啤酒里混着喝）的传统。"这条建议引发了检察官们的争议。接踵而来的各种反驳声让我们啼笑皆非。由于职业的关系，身为检察官，都应该是有较强逻辑思维能力，并且善于思考，善于言辞的人。可是你知道他们的观点是什么吗？"喝炮弹酒是传统，传统的价值至关重要，应该坚守下去。"让这样一批把炮弹酒和南大门（韩国的国宝第一号）的价值等同视之、把恶俗和传统混为一谈的人做我们法律的守护者，岂不让人感到寒心。

另一方面，将此事作为花边新闻而津津乐道的报纸报导，也让我感到相当的忧郁。要知道，媒体作为肩负全社会舆论导向重任的机构，大众对报纸的论调有着天生的盲从心理。

然而就报道的内容来看，却给人以无可奈何、啼笑皆非的感觉。"在如此困难的时刻，作为社会领导层的检察官们，却悠哉游哉地对此展开了讨论"，如此的笔调，仿佛是说所有的检察官都不务正业，纷纷投身于这场关于酒风的讨论中去。而事实上，这无非是一二位检察官闲极无聊随手记下的笑谈而已。

☆ 呵护子女的文化

"看来对报纸的报导也应该注意辨别啊。如果说我的英语说得很好的话，是不是就能和西方人那样，科学的思维能力也会随之提高呢？"

"可能会是那样。语言是哲学的载体，而哲学是思想的外壳。你知道吗，哲学，正是从割弃'自我'的那一刻开始的。割弃自我，意味着克服自我，推而广之，亲情、民族情，亦能于任何时候全然放下，达到这种境界，我们常称之为'懂事'了。"

"为什么见不到一个真正'懂事'人？从德国生活一段时间后回来，我常常在思索这样一个问题。在德国，高中毕业，

· 135 ·

就已算是跨入了成人的行列，为何在我国，人们的身体年龄和心理年龄却是彼此独立增长的呢？过去的三年里，我苦苦思索着，观察着。一般来讲，人们会把这一切归咎于无视人格培养，以应试为中心的教育模式。但从我所得出的结论来看，它有着更深层的根源，可以称之为'呵护子女'的习惯。"

"西方社会，新生的婴儿从被抱出产房回到家中的第一天起，就与自己的父母分房而睡。长大后，一旦高中毕业，便彻底脱离父母而独立了。有的人找到一份工作开始自力更生的生活，有的则靠打工挣够学费和生活费，进入大学深造。偶尔也有读大学仍和父母生活在一起的孩子，但私底下，他们从不以此为荣。遇到困难或不顺心的事，他们第一个想到的总是朋友，直到最后走投无路才会寻求父母的帮助。"

"在美国，有这样一个孩子，面临无法克服的困难，万般无奈，他才对自己的父亲说：'我已经竭尽全力了，但无奈力不从心。'他父亲却说：'在我看来，你还有所保留，因为，你还没开口要求得到我的帮助。'同样的情况，如果是在我国，结果恐怕会有所不同吧。"

"要解决'呵护子女'的习惯，或许应该从父母方面着手。21世纪已经来临，但至今仍有很多这样的父母，对孩子百般呵护直到子女成家为止，如果子女宣布独立，便以为在感情上受到了背叛而大吵大闹。当然，完全没有自立的想法、一辈子想依附于父母之下的子女也不在少数。但这其实还是父母能解决而未解决的事。如果从小就注意培养孩子的独立能力，又怎么会出现这样的情形？"

"是啊！我的父母也是这样, 他们总是想到我的宿舍来看看。有时候, 我都觉得, 他们对我缺乏最起码的信任。"

为什么父母们一直不明白, 他们永远都不能保证孩子们一辈子的幸福。看看那些为子女的婚事操碎心, 或者想尽办法阻挠, 甚至以断绝关系相威胁的父母, 真觉得不可理解。这些父母们笃信尾随时尚潮流, 福就会从天而降。如果对时兴的各种条件、佩带饰品、婚俗礼仪等有半点疏忽和闪失, "天下就不会太平"。他们可能看不到追求时尚大潮结婚且照样很不幸的破碎家庭。

☆ 我为什么说这些?

"我为什么说这些? 嗯, 是啊。看电影的时候, 如果出现与我国实情不一致的场景, 应该去想这就是他们的生活哲学, 从而努力让自己接受。这么做不仅仅是为了更好的学习英语, 也是培养对不同文明、不同哲学理解能力的绝好方法。有的人在看电影的时候, 突然会这样咒骂: '混账家伙, 为什么要欺骗这样美丽善良的女孩……'"

"尤其是女观众里常常有这样的人, 一旦看到自己平日最喜欢的演员出演浪子角色, 就觉得再也无法喜欢那个演员。这样的话, 即使看了几十部电影, 也无法体验影片中所包含的艺术和文化。虽说是融入到主人公的感情中去了, 但这还

是无法克服自我的表现啊。"

"说到感情融入，上次看录像的时候，我也有类似的感觉。男演员说话时没什么，但当女主人公说话的瞬间，'啊！这不正是我想说的吗？'这样的想法突然从我的脑海中掠过。"

感情融入的阶段

　　是的，感情融入。英语也好，德语也好，到达一定程度时，都会出现相类似的情形。想象一下：

　　现在眼前正端坐着一个美国人在与我交谈。他身着笔挺的西服，蓝色的眼睛深邃有神，是一个散发魅力的 40 岁左右的绅士。而我也和他一样，穿着考究。他说着一口流利而动听的美语，而我则以毫不逊色的英语娓娓道来。装饰典雅的办公室与透过大玻璃窗远远映入眼帘的金门大桥构成一幅搭配协调的优美景象。

　　这样的场面似乎在哪儿见过很多？没错，这就是好莱坞影片中屡见不鲜的一景。旧金山常常被选为拍片地点。

　　在第四阶段，录像看得越多，这样的感受也就越发真实。

　　在我国酒店是商社职员会见外国客人的主要场所。那里的一切是如此地西化，以至于就算把酒吧、餐厅和会议室原封不动的搬到美国，也不会让人感到突兀。如果在这里与美国人交谈的场景，与西方电影中频频上演的那一幕完全一致，

· 139 ·

不，是感觉上基本一致的时候，英语才真正完成了它本土化
的历程。

　　"当你口中的英语连你自己也不觉得生涩的时候起，就会
产生类似感情融入的变化。怎么样？你现在到达这一步了
吗？"

　　"还没有。尽管有时候，AFKN（专为驻韩美军播放的电视
频道）和电影中的英语听起来就像是家乡话那样亲切，但自
己说起来，多多少少还是有点儿生硬的感觉。可能是因为我
说的次数比较少，也可能是因为缺乏实际运用经验的缘故
吧！"

　　"没关系，只要以后再多看一两部电影，这种现象就会慢
慢消失的。不要忘记，对听写下来的台词，一定要以朗读剧

本的口吻去读。"

"啊！对了。我好像一直都疏忽了这一点。今后要采取随时变更角色的办法朗读。要像演独幕剧一样，您知道的吧，根据台词一个人分饰不同的角色……"

"嗯，那样的话，就更有现场感了。不过既然要学好，我这儿还有一个更好的方法……"

"那，您快告诉我吧，是什么？"

"你不是有听写下来的剧本了吗？在你以剧中人的语气朗读一遍后，再重新看那部电影。那么，你立刻就能找出其中生涩或者不自然的地方。找出以后，你再试着演一次，如此三遍下来，影片中出现的英语就完完全全成为你的东西了。"

"太好了。我试试看。一定很有意思。要是再有一个人就好了……我是说，能和我演对手戏的人……"

"我来帮你怎么样？不过有个条件，除了语言，还得配上具体动作噢！"

"很遗憾哪，博士。可这里面连接吻镜头都没有啊。呵呵呵，看来您以前有过这样的经历吧？"

"哪里，没有的事。只不过是刚才听你那么说才临时想起来的。以前我也曾演过好些话剧，可比起我所饰演的角色来，我似乎更加熟悉别人的台词。或许是因为我总爱琢磨，这部分要是由我来演的话，该如此这般地演；抑或是因为别人的演技比我更出色，所以他们的台词也就被我牢牢记住了。所以演出结束好几个月了我还依然记得很多台词。我是说，要应用好这些方法。你不觉得这样会非常有趣吗？"

　　"我非常赞成，不过像博士您这样忙的人能有时间吗？不出差到国外吗？"

☆ 美国男人每2分钟就会想到的

　　"啊呀！对啊。那是个问题。有没有英语非常好的邻居小伙子，又能学到英语又能寻觅爱情，一箭双雕，不是很好吗？"

　　"我有把握来个一箭双雕，不过我怕那个小伙子比起英语，对我更感兴趣，这样岂敢聘请他？"

　　"那和我没什么两样啊。其实就是因为配合具体动作，我才愿意帮你的呀。哈哈哈……"

　　"没想到你果真像传闻的那样色啊！　男人们真的都是这样子吗？我是说色狼的本性！"

　　"那当然。孩子也好，大人也好，男人对女人的身体都有种自然的渴望。只不过因教养程度的差别而各自的含蓄程度不同而已，其实内心都是一样的。在办公室里，有女职员走过身旁还视若无睹的男人哪里会有啊！"

　　"是吗，不会吧？即使在那种时候，男人还在想那种事？不可能吧……"

　　"美国的一位性心理学家曾经作过一个问卷调查，结果怎样你知道吗？美国男性职员中有近80%的人平均每过2分钟就会联想到性。以此推算的话，眼前没有女人时还能平静，不过一旦有女人站在面前，可能每过几秒钟，都会让男人联想到性。"

"男人们简直是不可理喻。这和动物有什么两样？"

"动物？那正是关键所在啊。在原始时代，人类的存在与其他动物相比是如此弱小，要想保存种族，只有靠尽可能多的生育。因此男性原始人看到异性，就会主动上前求爱。原始女性也因为这个原因而乖乖地接纳了他们。这种本能自然而然传到现代男人的身上。岂不闻我国社会流传的这句话：'男人对女人是来者不拒的。'这正是对种族保护本能的最直观的表述。"

"'种族保护本能'，这个词似乎在哪儿听说过？"

"这恐怕是女权运动团体常常提及的字眼。在女权主义者的眼里，这些无非都是男人们为掩饰自己的本性而杜撰出来的借口而已。"

"德国的情况如何呢？那儿的人也是这样的吗？"

"我所接触的德国大学生都已经有相当多的性经验，但绝大部分人还是不愿过多的谈及'性'这个问题。当然，一般的上班族的情况和我国的情况基本上差不多。我倒是很想谈谈法国。巴黎女性对女权的概念有着独特的见解。她们相信通过强调女性的魅力可以使女权得以扩大。在办公室她们以能吸引男人的目光而感到高兴，不然的话就觉得悲哀。曾经有一次，我和一位偶然结识的法国男子参加一个party，那家伙竟然很自然的把手放在坐在他身边的女士的大腿之上。要

知道, 这位女士既不是他的女朋友, 也不是他的女的朋友, 他们仅仅是普通的同事关系而已。"

"这和我们真是太不一样了！这大概就是所谓的'性开放'吧！"

"也可以这么说吧。这种行为体现出了对'性'自然真实的感觉, 从不遮遮掩掩的态度。男女之间没有病态猥亵的目光, 而是略带着一点淘气、一点好奇, 对对方充满了期待的目光, 像这样的场面随处可见。重要的是, 能打破那种在无奈之下压抑自己而造成的对性的禁忌意识, 进而改变对性持有的否定观念。

有一个结交了韩国女友的德国大学生这样对我说道'我实在难以理解。明明我和她彼此相爱, 为什么只允许我吻她, 绝不同意和我上床, 说什么结婚的那天才会答应。世上哪儿有不上过床就和对方结婚的傻瓜？'我回答说：可是您到韩

国看一看吧, 在韩国这样的'傻瓜', 满大街都是啊! "

"您的意思是说, 在看电影学习英语的同时, 也应该顾及到这种巨大的文化差异吧? 事实上, 影片中常常出现的这些场面, 并不会给人以恶心或者不真实的感觉。"

"是的。的确, 20多年的教育所形成的思维定势不可能在一夜之间得到改变, 就和你现在要纠正以前那种不良的英语学习方式一样困难。

"对我来说, 难关已攻破了。现在我很想知道, 第五阶段究竟是什么样的呢? "

"如果可以的话, 第四阶段里尽量多看一些, 多积累一些。这样吧, 你再接着看三部电影, 到时候, 一部影带可能只需要3~5天就能完成了。"

"明白了。以后再来向您请教。晚安! "

千万别学英语

自我领悟的阶段

　　K现在已基本达到了"自我领悟"的阶段。换句话说，眼里看到的，耳中听到的一切英语都在头脑中设立的"英语屋"里面得以自动录入、分类和储藏。从现在开始，K可以随心所欲地提高她的英语了。细听CNN新闻，就能熟练地掌握时事英语；集中收看法制影片和法制电视剧，有辨析风格的英语基础就会更加巩固；读一卷小说，则文学表现力日趋丰富；看一段散文，就离美国人的心理更贴近一步。

　　第四阶段总体来说是一个database的构筑阶段。换句话说，信息种类越多，所构筑的database也就越有体系。因此如果时间充裕的话，在进入第五阶段以前，最好能找到美国电台一天的所有节目浏览一遍。新闻、电视剧、广告、专家访谈、电影、喜剧等等，这些美国平民所常见的节目，将有助于你体验在录像带中无法体验的美国人日常生活中最生动的部分。特别是广告和喜剧（comedy）节目尤其如此。

　　通常，广告所追求的最佳效果，就是要触动每个人的心，让他们快乐，或者令他们悲伤。所以反过来，它也是用来揣摩美国人心理的最好资料。而喜剧（comedy）则侧重于将他们的日常生活戏剧化，甚至于你能从中了解一个美国家庭从早到晚一整天的生活模式。经常收看这些节目的话，即使现在就把你一个人丢在美国，相信你都不会有任何陌生感。（纯属理论，未经实验证实——作者注）

　　不管怎样，当你认为自己在第四阶段已准备足够充分的时候，英语对你而言，就不再是普通的文字，而应该是伴随着画面的文字了。就像是告别了无声片时代，进入到有声有色的彩色片时代一样。当你说"I'm sorry"的时候，脑海里就会自然而然地反映出这种情形下肩部的动作，对方的神情和可能的回应。当你听到"I love you"的时候，心里会有种难以抑制的欢欣。甚至于在你怒气上涌的时候，"bull shit"、"god dam"等话就会在不知不觉中脱口而出。也就是说，在英语的每一个单词、每一句话中都已经浸染上了你自己情绪的色彩。

·147·

　　一般来说，这种情感和语言完全交融的状态，只有在母语中才有可能发生。但这并不是绝对的。当你自己口中的英语再没有丝毫的生涩之感，当别人充满敬畏的目光让你感到诧异，让你摸不到头脑，甚至怀疑"我脸上是不是粘上灰了"，当你突然恍然大悟，明白这一切"都是英语惹的祸"的时候，那么，英语对你来说，已不再是第二外语，而成了你的第二母语了。

　　和美国人对话的时候，一定会遇到你不懂的单词。第二外语和第二母语的区别，在这样的情况下最能表现出来。处

在第二外语阶段的人张口会问，那是什么意思；而处在第二母语阶段的人，十有八九会只注意领会说话人的意思而将其忽略过去。只有在知道自己领会错了时，才会问："你刚刚说的是这意思吗？"

处在第二外语阶段的人总是尽力想听明白、说清楚每一句话，这般地绞尽脑汁咬文嚼字，没几分钟便已精疲力竭，甚至还希望能尽快打发对方了事。相反，英语到达第二母语阶段人，说话再不是什么负担，哪怕是彻夜的畅谈，也不在话下。

到那时，你就能随心所欲地与美国人谈笑自如，甚至互诉心声，分享人生的乐趣和苦恼。事实上，向外国人诉苦心情更加自由轻松。在举目皆亲的我国，无心的言语亦可能招徕事端。而和外国人交谈则不同，他们远居异邦，自然不用担心会泄漏你的秘密。

☆ 韩语中复杂的内容可以用简单的英语来表达

用英语倾诉苦恼或分析问题的时候，常常会使人感到奇怪，为什么韩语表达那么复杂困难的东西，在英语中竟会如此的简单？有时甚至结论就在你的面前。这是为什么？

首先，因为我们的英语水平比问题所涉及的水平，要低得多。比如说, 用韩语表达我国企业所面临的问题, 一般会对历史、社会、政治等多方面的因素进行全面的令人叹服的分析, 而用英语表达, 无非是"官僚主义的产物"、"权威主义文化氛围的影响"等简单的言辞。他们提出的解决方法, 也只不过是"建立自律和民主的体制"、"改变现在干部的精神状态是不可能的, 要换岗换人"。话是很爽快, 但内心的某个角落, 却总有些隔靴搔痒的感觉。不过美国人听了这话, 或许会发出"Oh, smart"的感叹。

产生这种结局的另一个深层次的原因, 在于即使在韩语和英语中表达同样意思的单词, 也会由于各自文化背景的不同而带有不同的语言色彩。在英语圈里面, "官僚主义"也好, "权威主义"也罢, 都早已消亡或正在消亡。这样一种必然的趋势, 使他们在谈论这些问题时表现出乐观的态度和必胜的信心。而我国的情况完全不同。韩语中的这两个单词, 带有无法逾越的内涵。"就算人们再怎么想摆脱它们的束缚, 但由于它们的根基极其庞大深厚, 一旦激起反抗, 便会形成巨大的阻力, 迫使改革无法进行下去。"假如想用英语来表达这样的意思, 恐怕只能选择完全不同的单词了。

换句话说, 我们必须掌握语言的理由, 也正在于此。即不管在什么时候, 语言都不仅仅限于词典上的意义, 它带有在整个文化圈内通用的意象(image)。"总统"一词在韩语中是"最高的公务员职位"。而英语的"president"却有"总统"、"议长"、"酒店名称"、"高级轿车品牌"等等含义, 只是在表示权位时和我国的"总统"同义。进入到21世纪的今

· 149 ·

天，一部分胆小的韩国人仍然不敢对总统有这样那样的评论。因为在他们看来，这是一种莫大的不敬，所以连"president"一词也不敢随意引用。

这样的例子不胜枚举。如果不把英语和英语的文化联系起来，而是按韩国（自己的）文化习惯来说英语，美国人会感到奇怪："究竟他们是从哪里学到如此奇怪的英语的？"举个例子，当美国人表达"请……吧"的意思时，通常会说"Why don't you…"而你却回答说"我没有说不行啊！我就是想这么办的啊"。当看到汽车驶进"gas station"而不是"加油站"的时候，也许你又会发出感叹："原来美国的汽车都是使用L.P.G（gas）的啊！"之所以说出这些令人啼笑皆非的话，正是把英语生搬硬套到韩语所带来的后果。

这样的情形甚至波及到同声传译领域。国际学术会议中

经常出现这样的场面：台上韩国的学者正在作报告，台下的外国专家们却都把同声传译机的耳塞取下来放在桌上。会间休息时，我悄悄地问为什么，他们说，因为翻译的话听起来太奇怪了。

直接听过后我才明白，原来翻译问题另有原因。发言者随兴所至自由发挥，而翻译们却只知道照本宣科。例如，台上的人正在讲"依我看，错在没有全面地看这个问题，而是片面地对它进行了处理"（口语），而同声传译机里却在说"我判断，错误的原因在于对这个问题进行了带偏颇的考察，而非整体性的分析"（书面语）。我只要一想想研讨会上的这种发言，就会觉得头疼的。

生活在韩国,英语也能达到母语水平

　　有这样一种先入为主的观念认为,在韩国国内学习英语的人,无论怎样,也赶不上那些生活在英语圈的人。其实这是一种误解。

　　还有人说,学习外语,如果不是从很小的时候(10岁以前,也有人说7岁以前——作者注)就开始的话,即使再怎么努力,也无法有所突破。这同样不是真理。

　　曾经有人就证实了这些观点的荒谬。他就是19世纪的考古学家Heinrich Schliemann。从年轻时代就得到一笔巨额财产的他,一生中惟一需要动脑解决的问题便是如何克服无聊和寂寞而使生活过的有情趣。正因为如此,他把自己沉浸在考古学中。同样,学习外语也是他消磨时光的方法之一。

　　他用了许多时间去思考和研究,怎样才能做到不用去国外,也能学到一口流利的外语。最终他从幼童们呀呀学语的过程中受到启发,找到了秘诀。虽然我所介绍的秘诀看起来像是 Schliemann 秘诀的翻版，但那无非是因为我比他晚出生了几百年而已。

事实上，我们俩的方法还是有所差别的。Schliemann 出生在包含世界众多语言的以罗马文为标志的文化圈内，他的母语就使用罗马文字。所以他的秘诀只是以罗马文字文化圈为背景的，从而与我的诀窍有着本质上的不同。

所有以罗马字母为标志的语言，其特征都是基本一致的。所以只要你掌握了其中之一，就意味着你对第二、第三种外语的学习已经完成了一半。事实上，如果去过了欧洲你会发现，在那里，说着意大利语、西班牙语、法语或是德语、荷兰语、丹麦语、瑞典语的人们，很多人可以自由自在地使用多种语言。Schliemann 按照他自己的秘诀，一生共学习了22个国家的语言，而且都不局限于简单的问候用语和会话，而是达到了通晓的地步。或许正是由于这一点，才让他能发掘到古城特洛伊（Troy）遗址，成为举世瞩目的人物。

☆ 年纪轻轻，为何对我用非敬语？

Schliemann 的秘诀中有一条并不适合我国的国情——"每天到外语培训班做1个小时的Speaking练习"。我国大部分的成年人都无法实行它。甚至连那些德国的留学生，在外语课上也总是双唇紧闭，一副"沉默是金"的神情。更有人因

为年龄比自己小的人无礼地使用了非敬语，而生气得不再说话。（德语和韩语一样有敬语和非敬语之分，不同的是德语中根据亲近程度来区分敬阶和非敬阶，而韩国语是以年纪的长幼来区分的。）那是由于他是以韩国的方式来理解的。

在我国，人们只有在有充分自信的情况下，才敢开口表达自己的想法。即使是这样，绝大部分人还是被点到名才走上讲台的。这可不是外语学习时才有的现象。

德国的孩子们在从小学到高中的受教育过程中，在课堂上是否踊跃发言是评估成绩的一个因素。这是韩国侨胞的子女告诉我的。在这种从小养成的习惯下，每一个人都勇于表达自我。相反，在我国，人们不是鼓励他人去发言，而是一味的劝阻。

现在想想，我上高中的时候，举手发言的情况，仅限于到黑板解答数学题而已。在这种老师教什么，学生就学什么的教育体制下，教学内容所针对的对象只不过是听力健全的人，而不在乎他会不会说话。

接受十几年这样教育的人，偶然来到国外，突然间置身于形形色色不同人种当中，在不同颜色的瞳孔注视之下，恐怕没有人能保证他能态度从容地侃侃而谈吧。

说到这儿，我又不禁想起第一次在研讨会上被德国教授点名提问时的情景。记得虽然当时讨论的主题恰好是外国的事例，但我还是和平常一样默默地坐在那里倾听着其他学生的发言。和别的韩国留学生一样，我更愿意在研讨会上静静地听讲。

"大家想听听东方文化圈里的情况吗？" 教授意外点名让我回答。所幸的是，在我自己发明的这种学习方法的帮助下，我的德语已经日趋完善，所以我毫不费力地一一介绍了韩国的例子，也回答了其他人的提问。下课以后，一个女同学走过来这样说道：

"我以前一直以为你和别的韩国人一样，是因为说不好、听不懂德语才总那么默默地坐着。你该不会是在德国上的中学吧？"

从那以后，我便决心一定要在课堂上积极发言。那女孩关于"别的韩国人"的言语深深地刺伤了我的自尊。我为韩国人学习英语开发秘诀的原动力也正在于此吧。只有树立起这份自尊，才能在胸有成竹的情况下勇于表达自己内心的想法，才能在不到迫不得已的情况下决不会允许自己语无伦次。

讲到这，我又不禁联想起上文所提到的那位在一企业语言研修院担当下午授课的犹他州出身的美国讲师。他正是因为认识到了这一点，才在他的课堂上采取了特殊的授课方法。当"Discussion"开始的时候，他总是想方设法惹恼他的学生。辩论的主题往往取自当日热点报道和我国历史问题，因此学生们总是轻易地被激怒，进而纷纷举手反驳他的观点。后来他才告诉我，这其实是他的一个策略。"韩国人只有在愤怒，或者是喝醉了的情况下才敢开口说英语。所以我才那样做的啊！"

不管怎样，我所讲的这些秘诀，都将有助于你更好地学好、用好英语。而从第一阶段到第四阶段我始终强调的"大

· 155 ·

声朗读法"更是其中的关键所在。经常翻翻英英词典，熟悉基本词汇和提升造句能力，也是Schliemann的秘诀中没有提及的方面。

　　用正确的方法取代我国国民所接受的错误的外语教育，是摆在我们眼前的一项使命。只有完成这项使命，我们才能真正把英语变成日常生活中所使用的语言。"解释"也好，"研究"也罢，这样的字眼只适用在"拉丁语"之类的古老语种的身上。而在所谓的"英语研究"、"英文解释"泛滥的我国，要进行真正意义上的英语教学，还任重而道远。

攀登第五阶段：
文化融通　渐入佳境

第五阶段的六个要领

第一，准备1张最近的英文原版报纸（在美国发行的报纸）。

第二，从社会版面挑选一篇短文章（1-2分钟就能念完的），然后大声朗读。必须坚持到完全消化为止，就好像自己成了新闻主持人一样。

第三，当确信自己不看原文也可以记住文章内容时，把它像讲一个故事一样绘声绘色地复述下来。

第四，能够流利地诵读时，再选第二篇文章，重复上面所讲的方法。

第五，看完一个版面后，就像第三阶段那样处理不认识的单词。

第六，把报纸上广告、名人访谈、漫画等所有的内容，都按上述方法加以学习。

被公司炒鱿鱼的 K

　　冬意越来越浓了，韩国社会所遭遇的动荡却不见丝毫消减。某一天，K突然又来了，脸上不再有往日的微笑，一幅忧心忡忡的神情，她无力地瘫坐在沙发上说道："我被炒鱿鱼了。他们说公司的经营每况愈下，要求已婚的女子自动辞职，现在看来有TOEIC 1级的实力也没用了。真想不到会如此没有原则，在公司里每天晃晃悠悠混日子的人，就因为他们是男人、姑娘或者一家之长就可以继续工作；只有结了婚的女人，哪怕再优秀，再可靠，因为家中总还有人养着就得辞职……这都算什么啊！"

　　是这样啊，早知如此晚点结婚好了。可是总不能为了不被炒鱿鱼而推迟婚礼啊！

　　"看来，有些传闻还真是真的，我们公司的人事管理水平不过是三流水准。还说什么未来的世界是一流的头脑支配的世界，说什么重视高级的人才……那，你打算怎么办呢？"

　　"昨天忙着写劝退辞职信，哪有什么时间做什么打算！昨夜我想了好久，我又没有什么特长，哪儿会录用我呢？你说，

我怎么办才好？"

"不如试着用英语与别人一争高下。"

"用英语？你是指翻译之类的工作吗？"

"那些只是一方面，现在你还缺少这方面的经验，我想首先进一家外资公司更好一些。"

"是吗，可是如果去那种地方求职的话，竞争一定会很激烈吧？"

"只要那家公司是以书面材料和英语面试来决定录取与否，那你就有绝对的胜算。"

"真是那样吗？"

"你先这么办，今天回家的路上，你去一趟美国文化院或大使馆，要一份原汁原味的美国报纸。在接下来的一个月里，你把它彻底弄懂，做将来面试的底料。我敢保证你一定会通过。"

"非要是报纸才行吗？我想您的意思是指时事英语吧。"

"嗯，是有这样的意思，你现在的用词一般都比较简单，还偏重于日常生活用语。但如果在面试的时候，讲一些有一定深度和分量的话，就能得到高分。报纸上的文章虽不是最难、最有深度的，但对事物都有着最详实的表述，俗话不是说麻雀虽小，五脏俱全嘛，一张报纸是人间社会的缩影。尤其是要想掌握经济、政治、社会各领域的用语，再没有比报纸更好的教材了。"

"那么，我怎样才能完全理解报纸的内容呢？啊，我知道了，好像可以用博士您教的方法。"

"没错，这很简单，首先翻开社会版，挑出一段短文，长度嘛，读起来大概 1－2 分钟就可以了。接下来你就不断地大声朗读，一定要带着向对方传达的感觉去读，你应该逐渐能够记下来，然后把你的眼睛从报纸上移开，想象着你正在讲故事，这样就能非常熟悉而自然地复述下来。在复述的过程中遇到卡壳的情形，不要停下来，按照你想的一直说下去。然后对照原文，再从头至尾复述一遍。就这样反复练习，直到流畅通顺为止。用这种方法记下报纸上所有文章大约需要 1 个月的时间。当然这是在假设你每天都有足够的闲暇时间一次练习四五个小时的前提之下。"

"那样的话，我真成了英语通了。报纸上的内容可是包罗万象啊。但是这其中必然会遇到许多生词，那又该怎么办呢？"

"啊，我忘了提这一点，在完成一页报纸之前，你只需要不断地朗诵，直到熟读了一页之后，再开始查不认识的单词，这和以前的办法完全一样。这样的话，当你能够看懂这张报纸上所有的报道之后，即使没有词典，普通的刊物也已经难不倒你了。"

· 161 ·

"博士，您是怎么得出这个结论的呢？您真的研究过这种方法吗？"

"研究？说研究言过其实。确切的说一半是因为偶然，一半是经过深思熟虑而得出的，在德国的时候，有一次打工找了一份操作挤压机（PRESS）的工作，手和脚一个都不能闲着，但却一点儿都用不着眼睛。而且工作的地方一名女工都没有，

是完完全全的男人之家。最后想出一个具有建设性的解决方法，那就是看杂志。要看就看最难的，所以我选择了德国知识分子最喜欢阅读的《Spiegel》。真的很难懂，但也不能查词典，只能咬牙读下去。虽然在内容的理解上有一个时间差，但最后还是能够理解。第一本我看了三个星期。休息了两天后，在周一，我又照例看起了第二本。奇怪的事情发生了！第一篇文章我没看几遍，很快就理解了，真是太棒了！这样我就匆匆翻开了第二篇，结果还是一样。那时候我头脑中闪过的便是这个方法，或许可以称为'切莫小视人类的头脑'，哈哈。"

"您怎么会想到去看最难懂的杂志呢？如果是我的话，我恐怕会选类似我国的《FEEL》或者《YOUNG LADY》之类的杂志。"

"事实上我也想那么做呀。可是在德国，那类杂志大多都很薄，买一本根本就看不了五个星期，所以我放弃了那样的想法。现在想来还真得庆幸当时的选择。那年假期结束，去上第一节课的时候，我发现我几乎都能听懂了。要知道上一个学期由于听力不好的缘故，比起理解课程内容的困难来，如何驱散瞌睡似乎更是一个问题。这种变化很奇妙吧？"

"像博士您这样有语言天赋的人本来就很神奇嘛，可对普通人来说就不那么容易了。"

"哪谈得上什么天赋，要说差异的话，只不过比其他人更喜欢语言罢了。因为喜欢，才会更关心、更全神贯注，就是这样。"

"这就像那句广告词一样：'只是努力去做而已！'我怎么觉得那样说的人有些讨厌呢"

"哈哈，反正就是那样，像我们以前所说的那样，人们的语言天赋肯定有所区别，但只要方法正确，最终的结局都是殊途同归。"

163

与来的时候不同，K带着兴奋的神情回去了。从她身上的气质来说，我相信她一定会成功的。如果她真的昂首走进某家外国公司，那么这不能不说是我们公司人事管理上的悲哀。

人事和总务部门的职责，在于为其他创利部门提供后援，但不知从何时何地起，他们手中都有了生杀予夺的大权。

让人不解的是，那些不知市场（Marketing）为何物、不清楚营销的动态、不明白生产线情况的人，究竟是根据什么来进行管理和控制的呢？

更令人不解的是，在这些部门工作的人，往往都可以飞黄腾达。如果说这仅仅是因为他们离上层更近，那就更让人难以释怀了。

然而，最令人寒心的话出自某大公司人事科长之口："两个相恋的人在同一部门工作的话，旁人看来恐怕不太好，所以还是把他们各自调离的好！"

这个公司究竟处在哪一个时代？

秘诀毕竟是秘诀

　　我教给 K 的所谓"求职外企基础训练方案"正是第五阶段的内容，这是使水平更上一层的最后整理阶段，因为它对方方面面的英语都将有所涉猎。企业广告，个人广告，漫画，评论等种种文体，政治、经济、社会、文化、艺术、体育等各类主题，都以多样的笔触和鲜明的观点淋漓尽致地反映当天该国生活的方方面面，无所不包。当你把这一切都以话语的形式融会贯通之后，大脑就会自动地开始构筑语言的逻辑体系了，即进入"自我领悟"的阶段。

　　与你所涉猎的内容和水平相应，你的变化幅度也会是相当惊人的。这种情形在你真正体会之前是无法想象的。

　　许许多多的人来请我传授他们提高语言能力的秘诀，于是我就这么做了。每次只教他们一个阶段的方法，这是我在德国时得到的经验。当时我把所有阶段都教给了他们，但与他们的保证相反，或者改变了顺序，或者改变了方法，最后全都失败了。我把这一切的原因归结为韩国人性急的秉性。所以下定决心，回国之后首先只教第一阶段，所有人都纠缠

着要我把所有的诀窍都传授给他，我告诉他们：

　　"完成第一阶段后再来，我会教你第二阶段。我们韩国人性子太急，往往第一颗扣子还没扣好就想扣第二颗、第三颗，结果不得不从头来过，这种事例实在太多了。"

　　然而几乎所有的人都过不了第一关，因为大家还是不相信，哪怕是获得成功的人亲自在他面前作证，也仍然不愿相信。疑心重或许也是我们韩国人的一种特有个性吧。另外，随心所欲修改我学习方法的人还很多。在第一阶段里，那些边对照边学习教材的人及那些违反绝不许查看英韩词典的禁忌，主张偶尔查看英韩词典反而更有效的人，在下一次的TOEIC考试时，成绩都不可避免地倒退了几十分。

　　对事物的结果不做任何验证就妄下结论的人，是使这种学习方法很难得以付诸实践的最大阻碍。也有把句子分割开来听，之后埋头苦背的人，或者把文章讲解全部看完之后才去听的人，等等。我的学习方法被他们演绎地花样繁多、层出不穷。这该怎么说呢？也许大家都太聪明了吧？

　　还有不少人说自己按照我所提供的方法中的要求去做了，但却没有收到成效。这种情形十之八九是因为他们的阳奉阴违，要不就是他们自欺欺人。水平没有提高是事实，但一切都按要求去做一定不是事实，没有坚持天天练习，没有每隔六天就休息一天，第一盘磁带还没完全结束便匆忙进入下一盘，放在车里一点一点断断续续的听，或者是挑了一个和自己水平极不相称的带子等等，他们所说的照章行事，都无不有着这样那样的偏差。

　　然而，这可不是小事。有的时候，更会带来严重后果。本来应该发生的现象没有"幸临"到自己的耳朵上的话，渐渐地你会觉得越来越困难。先是缺少了兴致，随之也阻止了进度，如此这般，你不得不跳过去，一两次的跳跃就足以毁了这个学习方法了。这些放弃了这个方法的人于是便又回归到了传统学习的轨道上来，重操到那种花费再多时间也毫无效果的学习方法。我不知道他们究竟是出于一种什么样的心理，是习以为常了吗？还是看到别人都采取那种传统的学习方法，从而产生一种从众的心理？

　　我所教过的职员中，最后各自都找到了自以为正确的学习方法。这也是我预想之中的事，我决定在旁边默默地关注着他们的变化。随着时间一点一点地流逝，他们的英语也荒废得差不多了。

　　在人们连公司出钱为其提供的考试机会都不加以珍惜之时，IMF（经济危机）破门而入。紧接着所谓的整顿解聘、劝退等恐怖的字眼传遍了办公室的角角落落。人们想加强自身实力的渴望以飞快的速度蔓延开来，以至于形成了有史以来最高的应试热潮。

　　一个月后公布的成绩正如我所料，根本没有人在级数上取得进展，还有的人始终游荡于各个级数之间。考分400左右的最多，阅读还好，绝大部分人在听力部分大失水准。参加考试的人大多数都是20多岁的年轻人，对于他们来说，也许这算不上是什么值得悲观的事情，但所有的当事人却都对此忧心忡忡。那么他们按照我的方法学习时，他们面前的最

大绊脚石究竟是什么呢？

"每天坚持2个小时左右的学习对我来说太困难了。"

其实一切还是年轻的过错。想想我和他们一般大的时候，也不知学习为何物。每天下班后，就约上几个公司里合得来的同事出入于台球场和酒吧。周末则忙于应付各种约会或去集体约会。星期天一觉睡到正午。长此以往，乐此不疲。而现在的年轻人除了和朋友在一起之外，还可以在电脑上消磨时光，其乐也融融，确实不容易把时间投放在乏味的英语学习上。

"有时也经常产生一些想法，在睡意朦胧中，觉得应该挑一些有意思的内容。但只是想想，却没有去做。呵呵。"

尖端技术的秘诀也好，语言学习的秘诀也罢。既然称之为秘诀，就必然有其道理。换句话说，若能将其随心所欲地改变，那它也就不再成为秘诀。我们韩国人根据自己的需要随意改变的"开创精神"上看，实在是非常出色。

"逻辑上说好像是那样，也一直想试试，但一天天地过去了也始终没能付诸实践。"

是习惯了花钱学习的缘故吗？或许是因为秘诀得来毫不费力，丢弃也并不觉得可惜？什么也没做而任凭岁月流逝的人好像为数最多。或者是因为现在有了秘诀，就觉得不管什么时候只要开始就会有好的成果而心有余裕吗？

"这次我一定要试一下这个秘诀，你说怎么做来着？"

的确，这个秘诀看起来非常简单。人们往往认为秘诀就应是非常复杂且有难度的，但是那只是成见而已。在工学领域里，像"再多削一次"这么简单的方法也可以说成是秘诀。

水到渠成的英语

 ## 第五阶段的六个要领

第一， 准备1张最近的英文原版报纸（在美国
发行的报纸）。

第二， 从社会版面挑选一篇短文章（1～2分钟
就能念完的），然后大声朗读。必须坚
持到完全消化为止，就好像自己成了新
闻主持人一样。

第三， 当确信自己不看原文也可以记住文章内
容时，把它像讲一个故事一样绘声绘色
地复述下来。

第四， 能够流利地诵读时，再选第二篇文章，
重复上面所讲的方法。

第五， 看完一个版面后，就像第三阶段那样处

> 理不认识的单词。
>
> 第六，把报纸上广告、名人访谈、漫画等所有
> 的内容，都按上述方法加以学习。

　　以上几点是对第五阶段的整理概括，也是我的秘诀的终结篇。到现在为止，了解这一阶段的人只有K一个人。K怎么样呢？应该是早已通过最后的一个阶段了吧？对成年人来说，要想掌握一门外语，恐怕只有这一个方法。必须克服无聊和厌烦的心理，必须牺牲几个月的晚上，当然周末除外。如果光凭一般的忍耐和觉悟，这条路是无法走到尽头的。

　　对孩子们来说，这一切要简单的多。有一天，我8岁的儿子正在看英语原版的动画片《米老鼠和唐老鸭》，片中有一句"I wanna go home"，我问他：

　　"你知道这句话什么意思吗？"

　　"嗯，知道，他是说他想回家。"

　　这真是太神奇了！妻子说，这录像带孩子已经看了有10多遍了。再问他片中其他的对白，孩子他竟然张口就能答出来。要知道我儿子可是至今连一个罗马字母都不认识的，但难以想象的是他的发音绝对是标准的英语啊！

　　前不久和一个老朋友见面时，聊起了他的女儿，她现在上高中2年级。从初中起，我的这个朋友每次出差回来，总是带给女儿各种各样的电影录像带作礼物，这些年下来，她的英语在全校一直都是数一数二的。

　　讲到这，我不禁想谈谈孩子们如何更好地学习英语。就像上面所说的，一定要使孩子在自己体验快乐的前提下接触英语。在小学里，让本身在发音、句子、表达能力等各方面都完全没能摆脱韩式英语桎梏的老师走上讲台去进行这种填鸭式的所谓英语早期教育又能有什么意义呢？

　　即使孩子回到家能说几个英语单词，而使父母们倍感欢欣，但这又能有什么效果呢？

　　应该让上小学的孩子们看一些有意思的动画片，例如《Beauty and the beast》、《Peterpan》、《Alien》等连成年人都喜欢看的名片。

　　对于初中生来说，电影录像带也同样适用，或者在电视节目中挑出适合初中生看的著名影片。到初中毕业为止，能达到这样的程度已经足够了。

　　进入高中以后，按照本书所介绍的成人用秘诀学习就行

了。当然对一个从小学开始坚持看英文原版片的孩子来说，这样的秘诀或许过于容易了。

那些在国外出生的孩子，他们的韩语一般来说都不太好，但偶尔也有例外。在我所遇到的孩子中就有这样一个。他大概16岁左右，是在德韩侨的后裔。他的韩语水平已不是"流畅"二字所能形容的，他不仅说话流利，而是可以自如地运用各种俗语成语，完全可以说是最高级的韩语。于是我问他是不是在韩国生活过一段时间，他说没有，甚至连放假期间梨花女大和延世大学专为韩国人后裔开设的讲座也从没参加过。

"从我小时候起，父亲就不理我用德语提出的问题。所以

我是在和母亲用德语, 而和父亲用韩语交谈的过程中长大的。"

"每到周末, 父母总会借来满满的一大包韩国电视剧、电影的录像带和我一起看。有时看得入迷, 连饭也在电视前吃, 偶尔还熬个通宵呢。

不知何时起, 我又突然想看韩国小说, 父亲知道后从地下室找了一大摞小说给我。

他说, 就是在读书的过程中他才真正的体会到了韩语的精髓。所以从那以后, 他连韩语中的俗语成语也掌握得滚瓜烂熟了。

这个例子, 再次让我清楚地了解了掌握外语的最佳方法, 看来强迫地灌输和死记硬背是解决不了问题的。

英语，从头开始

　　成年人学习外语吃力的另一原因是他们的语调已经固定成型。讲着一口韩式英语的人，他口中说的是英语，但语调却和韩语一模一样。经常与外国客户洽谈生意的人说的英语就像一连串的谜语，实在是很难懂。再听听他们讲的韩国语，仍是一堆谜语。

　　对有方言的人来说问题就更加严重。特别是那些无法改变庆尚道方言的人则更是如此。庆尚道方言的特征是缺少几个发音，及其独有的抑扬顿挫的语调，那些无法区分 P 和 F，B 和 V 发音的人，绝大部分都来自庆尚道。

　　不论怎样，要学好英语，首先必须改掉原有的口音。不，与其说是改掉口音，不如说是学好标准的韩语更加确切。只有这样，你说的英语才不会掺杂着庆尚道、全罗道或忠清道的口音。有一位韩国籍的美国国际律师，说韩语时带着釜山口音，听起来很是滑稽和有趣。但若我国的人讲着带庆尚道口音的英语那就更是可笑至极了。

　　那些沉默稳重的人同样也学不好英语。"那些家伙对年长之人都直呼其名，相互之间也从不使用敬语，简直是等外之民"，有着如此念头的人绝对学不好英语。因为他们根本就不会去试图弄明白，在英语中本就没有韩语中所有的敬阶、非敬阶之分，这样的人首先应该学习学习别的文化圈的礼仪，这是对异域文化的尊重。正如我们以我们自己的传统为荣一样，同样应该懂得尊重其它文化的生活方式。

这一点，是我们民族所欠缺的地方。甚至连ＴＶ、广播、报纸等大众舆论媒体，对其他国家的"固有文化"，也常以对于我们来说非常陌生为理由，把它视为笑柄或者投以轻视的目光，百般挑剔。对那些文明程度远不如我国的国家，这种讥讽嘲笑就更加露骨。这种令人厌恶的优越感究竟源于何处？

回想一下我个人的生活经历，这恐怕是维新独裁时期"国民洗脑教育"所造成的后果。"韩国三千里锦绣江山有着在世界上任何地方都无法比拟的美丽景色。这个被印度诗圣泰戈尔誉为'东方明灯'的国家，崇尚忠孝礼智信，堪称全世界之楷模。他有着仅次于犹太人头脑的优秀基因。对他来说成为发达国家只是时间的问题。"这就是从小就被深深灌输进我脑中的思想。连当时的媒体迫于权力的淫威，为当时的集体催眠战略推波助澜，以取悦上层。受过当时教育的人直到如今，对这种说法仍深信不疑。

世界上和我国一样有着美丽山河的国家数不胜数。然而在世界有名的观光地中，最最骄傲自大，常常出口不逊的就是我们国家。甚至连是否真地曾经以世界各国人民为对象进行

· 175 ·

过智商检测这件事本身也无从考证。

只要智商不低于80的人都会明白，在美国大学中以优等成绩毕业的韩国人往往并不具有真正的代表性，不能完全地代表韩国。但那些智商高达120的天才们却以这些人为例，来证明我们国民非同一般。

最近的电视公益广告常常出现这样的话"临危不惧的韩国人"，"危机中更显智慧光芒的韩国人"。然而，这话无非是经营不景气的集团的一种催眠策略而已。看看这些不争的事实吧：市场上"集团性投机行为"滋生泛滥，只顾自己的生存，紧攥手中的美元不放，经济危机后进口车和洋酒的销量反而增长……这一切的一切，都充分地证明了，我们韩国的国民，和其他国民一样平凡无奇。

虽然人们已经越来越了解历届政府实施这种"催眠"政策的意图，但他们还不明白，这种政策最终的结果，必将导致整个国家危机的到来。一些有一定实力的媒体在每次爆出重大事件的时候总是把我国和世界上其他成功摆脱危机的国家——对比，对我国的弊病进行尖锐的剖析并向广大民众大声疾呼。然而即使在这样震耳欲聋的呼喊中，懵懂的大众依然犹如大梦未觉。看来几十年来的集团洗脑和催眠在人们大脑中的残余，要比想象的还要根深蒂固。去年夏天，经济危机浮出水面后爆发的"朴正熙向往症"便是明证。

可以肯定的是，人们真正怀念的并不是朴正熙本人，而是怀念当时国家给国人带来的优越感。这种情结就如同好莱坞电影中死了一千次也照样能在续集中复生的幽灵一样，以后也仍然会存在的。

我们还是回到英语学习上来。学好英语究竟意味着什么？按照常理，我们首先应该弄清楚这一点。为了升学、求职、早期教育，抑或是因为邻居家的孩子在学……，这样的理由和目的，对激发英语学习的兴趣毫无帮助可言。英语是处于世界霸主地位的美国人所使用的语言，不论你喜欢与否，你都应该是冷静地承认，并充分地认识到英语文化的时代已经到来。我国国民在对衣食住行的追求上，追随美国人的时尚，但在思想方式上却因循守旧，沿袭朝鲜王朝时期"阶级观念"、"党派之分"的陈腐传统，学好英语，将为彻底改变这些令人堪忧的社会现状提供有力的工具。

我们国家的成年人至今还不理解青春。青年人是有着松软头脑组织的群体。在他们身上，那种合乎自然的天性，和对人性的敏锐感觉还没有消退。当他们为 Seo TaeJi（韩国当代著名歌手）独特的音乐而疯狂的时候，内心深处，依然保留着对我国文化深奥内涵的客观感受性。

有人说，好莱坞电影的引进会加深西方文化对我国文化领域的奴役。还有人说，对日本文化的开放会招致新殖民时代的到来，这些都会对青年人健康成长带来不良影响。事实上，做出此等判断的所谓社会指导层才是真正的问题所在。他们在大众媒体的支持下对人们的生活指手划脚，却全然不顾及是否有人要求过他们的领导，更没有人扪心自问："我有当领导的资格吗？"

或许只有年轻人才能以冷静的视角来审视他们。正因为

如此，英语对他们而言才更为重要。整个英语文明的基础则是"人道主义"，是对"每个自然人个性的尊重"，而这也正是我国年轻人身上最欠缺的部分。从呱呱坠地之时开始，我国的年轻人便无可奈何地生长在"胜者为王败则寇"的环境中间。父母、老师，乃至整个社会都不断提醒着他们，一定要出人头地。在这样的氛围里，别说是与众不同的个性，哪怕是再小再单纯的梦，也没有其生长的土壤。

美国又如何呢？美国人眼中的优等生，绝不仅仅是成绩优异的孩子，而是那些有着实际才能和优秀品质的人。这些人被选入哈佛（Harverd）大学、伯克利（Berkeley）大学、斯坦福（Stanford）大学及麻省理工学院（MIT）深造，在那里打下坚实的基础，并最终成为美国社会的指导者。因此美国的领袖往往都很聪明，这一点，与我们那些自以为是的人相比截然不同。他们的一生必须为赢得人民的选票而奔走，自然拥有非比寻常的演讲能力。常驻国外的大使掌握对象国的语言，也是最基本的要求。对他们而言，像我国这样，让一个连本民族语言都说不好的人当一国的领导简直是无法想象的事，更不可能想象一国大使让国人蒙羞的情形。正因为此，他们才值得美国人民的信赖。

我国的年轻人要学好英语的理由就在于此。因为只有这样，才可能了解构筑英语文明一切优点的基石。有过国外生活经历的人回国后的述说，我国报纸电台派驻的特约记者发回的消息都与实际情况大相径庭。他们总是以自己的经验来解释所见所闻。对他们来说，能否走出韩国教育造成的误区，真正融入当地社会, 是个很值得怀疑的问题。

　　学好英语, 用英语去听、去看、去感受, 这才是了解美国的最好途径。只有能用他们的语言, 看懂他们的新闻、报道和电影, 才能更真切地体验他们真实的一面。在这一过程中, 如果能由此而自然而然的推翻20多年我国教育体系中消极的一面, 无疑会带来更大的效果。

　　通过英语了解英语文明, 如果能据此而形成平衡的思想体系和世界观的话, 对你将是一笔宝贵的财富。在英语知识的宝库里翱翔, 游刃有余地领略硕学大家的名言名篇, 这都是自然随之而来的惠泽!

后 记

似乎到了该下结论的时候了。如果你真正按照本书所介绍的秘诀学习的话，那么对你而言曾经那么困难的英语已经不再是你的负担了。你不仅掌握了它，更由它而打开了一扇通向英语文明的大门。一个对人类社会认识的崭新阶段，由此而拉开了序幕。

我想，这为我们提供了一个契机。让我们能把头脑中如影子一般纠缠着你的一切妨碍客观公正性和感性开放的偏见及先入为主的观念一并清除。

克林顿陷入性丑闻的时候其支持率不降反升；德国总理候选人竟带着自己的情人参加竞选，这样的文化，我国国民中究竟有几人能理解。我们的媒体是如此表述的："金钱至上的美国人本性的完全暴露"，"性观念紊乱的欧洲文化的代表性事件"。这种表述正是我国文化中夸大其辞的倾向和以自己的标准评判他人的陋习最典型的体现。

美国人心目中理想的总统是能让国人过富裕生活的总统，

我国国人有着完全相同的价值观。想想我们的维新时代，朴正熙的女性阅历绝不比克林顿逊色，但因为他解决了国民的温饱问题，大家完全无视他执政时期近乎犯罪的铁拳统治，至今仍热烈拥戴他。那么我们还有什么资格对美国人评头品足？

对欧洲的性文化也不能简单地用紊乱一词概括。如果认为未婚同居是紊乱，那么对婚后外遇成风的我国性文化该如何理解？他们只不过是在以自身实践着对婚姻制度不间歇的批判和另辟蹊径的试图。他们在不能容忍人间的制度束缚上帝赋予人类的价值这一层面上是一致的。

进入英语文化圈，展现给我们的是"成熟社会"的境界。这是一种基于各社会成员的"成熟性"的社会。他们各自有独立的思想，懂得构筑自己独特的文化。

成熟社会的特征与不成熟的社会进行比较便一目了然。首先，成熟社会没有帮派文化，在那里很难见到成群结队、仗着人多装疯胡闹以解个人私怨的现象。另外，在穿着打扮上也没有从众心理。绝对没有张三、李四、王五都是一个发型、一种背包，穿的裤子、鞋子都一模一样的情况。他们认为那不符合自己的个性。

更为重要的是成熟社会从来不责骂有不同想法的人。在我国，对这样的人轻则谩骂重则驱逐出境。成熟社会的电台有很多讨论、名家访谈等节目。和只有演艺界和政界人物出场装腔作势哄骗、愚弄观众的韩国电视节目相比，他们的电台不排斥有不同观点和想法的人。对异类媒体也保持包容态

· 181 ·

度，还给他们提供向观众介绍自己生活的机会。这些之所以成为可能，是因为观众非常成熟。他们理解人类的生存是充满不确定性的，所以每个人的生活方式虽然不同，但从根本上对人生的追求和烦恼是共同的。

那么，我们的情况如何呢？开始一看到青少年的收视率很高，就一股脑加强青少年节目。而一旦经济萧条，又首先砍掉这些少男少女的节目。这样做的电视台也未免过于幼稚可笑了。还有那些根本不理解作品的艺术性以及电视剧内容的舆论媒体，不分青红皂白，大肆斥责选材不当等现象，更是荒唐至极。

他们认为为国人所宠爱的电视剧《漏壶》可能会导致青少年误入歧途；而美化婚外恋情的《情人》则有可能让本分老实的丈夫斗胆寻找情人。诸如此类的假设竟然成为评价电视剧的标准，这就是我们的社会，幼稚文化泛滥的社会。

归根结底，我们从英语文化圈中首先要学到的，是警戒"权威和独善其身"的能力。他们的历史就是克服"权威和独善其身"的过程，他们所享受的平等权利和受保障的自由是用血汗换来的。

迄今为止，我国还从来没有靠自己的力量战胜这两个幽灵的桎梏。驱逐日本殖民统治者是借助外力，"4.19革命"没有获得全胜，朴正熙的维新体制被断送在梦想家手上，之后朴正熙式的军事独裁也因和变节而与军部携手的民主斗士以及心胸宽宏的民众运动家之间谋得了妥协而为世人所容纳。

为我国的民主主义而贡献出热血和青春的年轻的灵魂，

· 182 ·

此刻该到何处去伸冤!

现在这个世界已走到我们面前，像是在观察掌上的蚂蚁一样观望着我们。洞悉韩国语言和文化内涵的许许多多的外国特派员和商社派驻员每天都在准确地向本国传达有关韩国的信息和情报。

这些国家的电台和报纸，把韩国的真实情况暴露无遗—— 一个炫耀着五千年历史的国家，保存完好的文化遗产竟然不到十分之一。标榜民主的国家，随时发生大中小型的侵害人权事件。和到处飘飘扬扬的宣传横幅一样，招摇撞骗的政客比比皆是。

美国人并不熟悉世界历史，欧洲人也是。他们没有必要通晓它。他们通过媒体，通过自身体验来了解别的国家。对他们来讲韩国只是一个微不足道的东方小国。因为他们接触的韩国人本来就不足以让人称道。和美国、欧洲进行贸易或从事外事工作的人员的英语水平远不如来自中国或非洲偏远地区人的英语，他们的英语水平甚至无法反驳别人对他们的蔑视。

在全球化潮流的推动下，韩国也不能不大踏步地走向世界。在这样的一个国家，英语好，意味着他具备了表现自身价值的能力，也意味着能够找到比别人好的机会。目前，在那些国内首屈一指的企业里，中世纪的思考方式和权威主义的组织文化仍占绝对优势。在这样的环境下，拥有这种机会意味着不必无谓地浪费宝贵的青春年华。

最后，我要告诉您一下 K 的近况。目前她在一家外国公

司的韩国分公司工作。支社长看重她一口流利的英语，就指
派她专门负责和总公司的业务联系。她真正体验出实力得到
认可的快感，偶尔支社长也带她参加过一些高级社交聚会，
在那里她认识了一些驻韩的外国人，现在和他们交往甚密。
和他们交谈时，她时常感到自己的视野曾经是那么的狭窄，
自己的生活路程曾经是那么地单调。每当这时，她都觉得羞
愧难当，脸颊阵阵发热。

图书在版编目(CIP)数据

千万别学英语 / 郑赞容著；李贞娇译

广州：广东世界图书出版公司，2001.4

ISBN 7-5062-4930-8

Ⅰ.千... Ⅱ.①郑...②李... Ⅲ.英语 - 学习方法 Ⅳ.H31

中国版本图书馆 CIP 数据核字（2001）第 07650 号

千万别学英语

作　　者	〔韩〕郑赞容	
译　　者	〔韩〕李贞娇	
责任编辑	萧宿荣	
出　　版	广东世界图书出版公司	
发　　行	广东世界图书出版公司	
地　　址	广州市新港西路大江冲 25 号	
邮　　码	510300	
印　　刷	广东邮电南方彩色印务有限公司	
开　　本	880 x 1230 1/32	
印　　数	100 001 ~ 105 000 册	
版　　次	2001 年 4 月第 1 版	
印　　次	2002 年 10 月第 7 次印刷	
印　　张	6.5	
书　　号	ISBN 7-5062-4930-8/H · 0256	
版权贸易登记号	19-2001-037	
出版社注册号	014	

定价：18.00 元